CW00434162

Alice
en Écosse

Caroline Quine

Alice en Écosse

Traduit de l'américain par Anne Joba

Illustrations de Philippe Daure

HACHETTE

SÉRIE *ALICE*
DANS LA BIBLIOTHÈQUE VERTE

Alice et les cerveaux en péril
Alice et la malle mystérieuse
Alice au Canada
Alice chez les Incas
Alice et les marionnettes
Alice au ranch
Alice et la rivière souterraine
Alice et le diadème
Alice et les hardy boys super-détectives
Alice et l'œil électronique
Alice et le violon tzigane
Alice et l'ancre brisée
Alice et les chats persans
Alice et la diligence
Alice et les diamants
Alice et la bague du gourou
Alice et la réserve des oiseaux
Alice et le cheval volé
Alice et les magiciens
Alice et la dame du lac
Alice et l'architecte diabolique
Alice chez le grand couturier
Alice et l'esprit frappeur
Alice en Écosse

L'ÉDITION ORIGINALE DE CE ROMAN A PARU
EN LANGUE ANGLAISE CHEZ GROSSET & DUNLAP,
NEW YORK, SOUS LE TITRE :
THE CLUE OF THE WHISTLING BAGPIPES

© *Grosset & Dunlap, Inc., 1964.*
© *Hachette Livre, 1966, 1989, 2001.*

Tous droits de traduction, de reproduction
et d'adaptation réservés pour tous pays.
Hachette Livre, 43, quai de Grenelle, 75015 Paris.

Chapitre 1

Le souvenir de famille

« Alice, veux-tu t'envoler avec moi sur un immense canard sauvage qui nous déposera sur un lac solitaire, au pays des kilts et des cornemuses ? demanda M. Roy, une lueur malicieuse dans le regard.

— Cornemuses au son desquelles je ferai tourbillonner une belle jupe écossaise que tu m'auras offerte ? répondit sa fille en riant de bon cœur.

— Pas du tout ! Ton fameux flair de détective va bientôt être mis à l'épreuve.

— Un nouveau mystère ?

— Oui. Un souvenir de famille disparu, souvenir de grande valeur dont tu devais hériter. Peut-être est-il égaré simplement ! »

À cette surprenante nouvelle, les yeux d'Alice s'ouvrirent tout grands :

« Un souvenir de famille pour moi ? En Écosse ? »

M. Roy, avoué dont la réputation était bien assise non seulement dans sa ville de River City, mais aussi dans tous les États-Unis, s'empressa de satisfaire la légitime curiosité de sa fille.

« Je viens de recevoir une lettre de ton arrière-grand-mère maternelle, Lady Douglas, qui, comme tu le sais, mène dans le Nord de l'Écosse, non loin d'Inverness, une vie très retirée. Elle me dit avoir rédigé un testament par lequel elle lègue son château et les terres qui en dépendent au Service des Monuments historiques.

— Dont la mission est de veiller à la conservation des chefs-d'œuvre de l'architecture, n'est-ce pas ?

— À celle, aussi, des paysages et des sites. Pour en revenir à notre affaire, dans le cas du domaine Douglas, ce legs est soumis, sous peine d'annulation, à certaines formalités : il faut, entre autres, que les ayants droit apposent leur signature sur le testament. Lady Douglas m'a prié de faire les démarches nécessaires auprès des membres de la famille résidant en Amérique. Ma première tâche consiste donc à me rendre en Écosse et à m'entretenir de tout cela avec ton arrière-grand-mère.

— Et le souvenir de famille dont tu parlais... », commença Alice qui, à ces mots, fut interrompue par la sonnerie du téléphone.

Une voix bien connue résonna dans l'écouteur. Celle de Ned Nickerson, grand ami d'Alice, qui revenait d'un séjour en Amérique du Sud.

« J'aimerais te voir et te raconter mon voyage, dit-il.

— Viens dîner, répondit Alice. Je suis si contente de te revoir... pas pour longtemps, d'ailleurs. Parce que... Devine où je vais aller ?... En Écosse !

— Veinarde ! Alors, à ce soir. Nous parlerons de tout cela. »

Alice revint près de son père.

« Raconte-moi la suite, je t'en prie.

— Eh bien, ma chérie, je n'en sais guère plus que

ce que je t'ai dit ! Ton arrière-grand-mère ne m'a pas précisé la nature exacte de ce souvenir de famille. Elle m'a simplement dit qu'elle ne le retrouvait pas.

— A-t-il été égaré dans la maison ?

— Je te répète qu'elle ne m'a donné aucun détail. »

Le regard subitement rêveur, Alice reprit :

« Crois-tu qu'il ait été volé ?

— C'est possible, mademoiselle la détective. Mais ne te laisse pas emporter par ton imagination, ou plutôt ne cède pas à une déformation professionnelle qui risquerait de te faire voir des voleurs partout. Parlons peu, mais parlons bien : à notre arrivée en Écosse, je verrai quelques confrères à Glasgow, puis à Édimbourg et, après cela, nous irons à Douglas.

— Connaître l'Écosse ! Quelle joie ! Et quelle joie aussi de voyager avec toi !... D'élucider un mystère ! Mystère d'autant plus intrigant que j'ignore ce qui a disparu. Et puis, le château doit être très beau, s'il intéresse les Monuments historiques.

— Effectivement, il est très beau ; j'y suis allé une fois et j'en ai gardé un merveilleux souvenir. Il sera sûrement ouvert au public, plus tard. »

M. Roy se leva, disant qu'il avait encore du courrier à terminer avant le dîner, et se retira dans son bureau. Alice se rendit à la cuisine, où Sarah enfournait une tarte au citron, régal de la jeune fille.

« Miam ! quelle chance ! » dit Alice en se pourléchant.

Le visage de Sarah s'épanouit, comme chaque fois d'ailleurs qu'elle voyait entrer cette jolie adolescente, à qui elle avait servi de mère et de confidente depuis la mort de Mme Roy, survenue alors qu'Alice était encore une enfant. Elle était fière de la grâce souriante, des yeux bleus si lumineux, des cheveux d'or de celle qui, pour son cœur fidèle, restait toujours une petite fille. Petite fille dont elle admirait le courage et la bonté, deux qualités qui poussaient Alice à voler au secours des malheureux ou des victimes de personnes sans scrupule. C'est ainsi qu'elle était devenue une détective amateur, unanimement admirée.

Pendant l'heure qui suivit, Alice et Sarah parlèrent du voyage projeté, des vêtements à emporter, ainsi que de la vie intéressante qu'avait menée Lady Douglas du vivant de son mari, membre de la Chambre des lords.

« Espérons que ce souvenir de famille n'est pas encombrant, remarqua Sarah en riant. La maison déborde de trophées et de cadeaux venant de toutes les parties du monde. Si cela continue, on ne pourra plus bouger.

— Bah ! on mettra le piano dans le jardin ! » répondit Alice, entrant dans le jeu.

Un coup de sonnette vigoureux fit courir Alice à la porte d'entrée. Le visiteur n'était autre que Ned Nickerson. Selon Alice, il était, après son père, l'homme le plus agréable, le plus doué qu'elle connût. Sportif, intelligent, il avait été envoyé en Amérique du Sud par son université.

« Bonjour ! dit-il avec un large sourire. J'ai arrêté ma voiture derrière ton cabriolet ; veux-tu que je le range dans ton garage ?

— Tout à l'heure. D'abord, entre et raconte-moi par le menu ce que tu as fait depuis que tu es parti. »

Ils s'installèrent au salon et bavardèrent longuement. Ned raconta certaines des aventures qu'il venait de vivre dans la pampa.

« À propos, Alice, dit-il soudain, si jamais tu t'ennuyais en Écosse, faute de mystère à élucider, j'en ai un à te proposer. »

Les yeux de la jeune fille s'allumèrent aussitôt.

« De quoi s'agit-il ? »

Ned lui répondit qu'il avait lu dans un journal qu'une bande de voleurs faisaient disparaître moutons et agneaux des montagnes d'Écosse.

« La police ne sait où donner de la tête. C'est le cas ou jamais de montrer de quoi tu es capable. Combien de temps serez-vous absents, ton père et toi ?

— Papa ne l'a pas précisé. Je doute qu'il le sache lui-même. »

Ned poussa un soupir.

« Je vais lui demander de te ramener ici pour le 10 juin. Mes camarades de l'université et moi, nous organisons un grand bal. Il n'est pas question que tu n'y assistes pas !

— Oh ! nous serons de retour à cette date. Réfléchis ! Nous sommes dans la première quinzaine de mai. Je te promets de ne pas faire traîner les choses.

— Bravo ! »

Tirant d'une poche un petit paquet, Ned le tendit à la jeune fille.

« Un modeste souvenir d'Amérique du Sud », dit-il.

C'était une très jolie broche en bois sculpté représentant un petit singe au visage rieur.

« C'est adorable ! dit Alice en épinglant le singe sur sa blouse. Merci mille fois, Ned.

— Les gens de là-bas prétendent que c'est un porte-bonheur.

— S'ils disent vrai, je suis sûre de résoudre les deux mystères.

— Les deux mystères ? »

Alice lui parla alors du souvenir de famille disparu.

Après le dîner, le téléphone sonna. Alice alla répondre.

« Oh ! merci ! merci, lui dit son interlocutrice, dont la voix dénotait une extrême agitation. Grâce à toi, j'ai remporté un prix formidable !

— C'est toi, Bess ? De quoi parles-tu ? Je ne comprends rien à ce que tu racontes. »

Bess Taylor, une jolie jeune fille, un peu replète, et sa cousine Marion Webb, à l'allure plus garçonnière, étaient les deux amies inséparables d'Alice.

« Part à deux, reprit Bess. Tu en as gagné la moitié.

— Pourrais-tu être un peu plus claire ? De quoi s'agit-il ?

— C'est merveilleux ! Et je suis sûre que tu ne seras pas fâchée. Voilà ! Il y a quelque temps, j'ai lu dans la revue *Photographie internationale* le règlement d'un grand concours. Très simple, d'ailleurs : il suffisait d'envoyer une photo. Alors, j'ai choisi un cliché que j'avais pris de toi en pleine action.

— Que dis-tu ? Explique-toi, je t'en supplie !

— Nous avons gagné un voyage ! hurla Bess dans l'écouteur.

— Bess, parle intelligiblement, je t'en conjure ; c'est un véritable dialogue de sourds ! »

Impossible de faire entendre raison à Bess. Elle raconterait l'histoire à sa manière.

« Te souviens-tu de cet instantané sur lequel, armée d'une énorme loupe, tu examines l'empreinte d'un pied ?

— Oui. Ne me dis pas que c'est celui-là que tu as envoyé !

— C'est une photo remarquable. On lui a décerné le premier prix. Et sais-tu en quoi consiste ce prix ? Un voyage pour deux personnes, destination au choix du gagnant. N'est-ce pas magnifique ? Comme c'est en partie grâce à toi que j'ai gagné, nous partirons toutes les deux ! »

Accablée par cette nouvelle, Alice s'était laissée choir sur une chaise proche du téléphone. Elle qui avait la publicité en horreur, voilà qu'elle venait, involontairement, d'attirer l'attention du public.

Bess jubilait :

« Ton nom sera célèbre dans le monde entier ! Les revues, les journaux de tous les pays reproduiront ta photo accompagnée d'une notice biographique. »

Alice se sentait sur le point de défaillir. Si elle voulait mener à bien ses enquêtes en Écosse, il ne fallait surtout pas qu'on la reconnût.

Inquiète de ne plus entendre son amie, Bess demanda :

« Es-tu toujours au bout du fil ? N'es-tu pas contente ?... »

Une terrible explosion dans la rue fit sursauter Alice.

« Bess, je te rappellerai. »

Et elle raccrocha.

Ned était déjà dans le vestibule. Alice et lui dévalèrent en courant l'allée qui conduisait à la rue. Un triste spectacle les y attendait. Un lourd camion avait embouti le cabriolet d'Alice ; lequel, à son tour, avait défoncé la voiture de Ned.

Alice fit une mine navrée. Le cabriolet avait joué un grand rôle dans sa vie de détective. Elle le considérait comme un fidèle compagnon. Or, à première vue, ce n'était plus qu'un tas de ferraille inutilisable.

Mais, aussitôt, elle songea au conducteur du camion.

« Pourvu qu'il ne soit pas grièvement blessé ! » s'écria-t-elle en se dirigeant vers la cabine.

Chapitre 2

Un carré de tissu écossais

En approchant du camion défoncé, Alice et Ned fermèrent un instant les yeux comme pour puiser en eux-mêmes le courage de regarder l'atroce spectacle qui les attendait. Un réverbère éclairait la scène.

Ned se hissa à la hauteur de ce qui avait été la vitre de la cabine et poussa une exclamation de stupeur :

« Il n'y a personne à l'intérieur ! »

Alice vit alors que, de l'autre côté, la portière était ouverte. Le conducteur avait peut-être eu le temps de sauter à terre avant le choc. Elle regarda autour d'elle. Personne en vue.

Les deux amis contournèrent les voitures, regardèrent sous les châssis entremêlés. Rien. Aucun blessé n'était coincé entre les longerons du lourd véhicule.

« Cela me dépasse ! dit Ned. Il est impossible de se tirer indemne d'une pareille collision.

— En effet ! répondit Alice. D'ailleurs, pourquoi l'homme qui conduisait ce camion aurait-il pris la fuite ? »

Les mâchoires de Ned se crispèrent.

« On dirait que l'accident a été prémédité.

— Dans quelle intention ? demanda Alice. Pourquoi vouloir détruire ma voiture ? »

La colère faisait place en elle à l'inquiétude. S'il n'y avait pas de blessé, il y avait un coupable, et un coupable qui, après lui avoir démoli son beau cabriolet, s'était enfui. Elle détourna la tête afin que Ned ne la vît pas essuyer furtivement une larme.

« Pas de plaque d'immatriculation ! fulmina le jeune homme, qui inspectait l'arrière du camion. Cela prouve que l'accident n'est pas l'effet du hasard !

— Regardons le numéro du moteur, il nous permettra peut-être de retrouver le coupable. Attends, je vais chercher ma torche électrique. »

Dans l'allée du jardin, Alice croisa son père et Sarah. M. Roy s'était muni d'une lampe-torche. Bientôt les voisins arrivèrent, et restèrent abasourdis en apprenant que, selon toute apparence, le conducteur du camion avait volontairement dirigé son véhicule contre le cabriolet d'Alice.

Penchés sur le moteur, Alice et Ned cherchaient le numéro. Enfin, ils trouvèrent l'endroit où il aurait dû être, mais les chiffres en avaient été si bien martelés qu'ils étaient illisibles.

« Piètre consolation ! nous avons ainsi la certitude que quelqu'un a voulu rendre mon cabriolet inutilisable. Si seulement je savais pourquoi ? »

M. Roy arborait une expression soucieuse.

« Pourquoi ? C'est aussi ce que je me demande. Le coupable voulait-il te blesser ou blesser Ned ? Je comprends mal. Tu n'avais aucun projet de voyage et, à ma connaissance, tu ne mènes aucune enquête en ce moment.

— Non. Je commençais même à le déplorer. »

Sarah offrit d'aller téléphoner au commissariat. En

attendant les inspecteurs, M. Roy, Ned et Alice poursuivirent leurs recherches. Ils examinèrent en détail la voiture de Ned. À l'exception des deux phares brisés et du pare-chocs tordu, elle était indemne.

Ensuite, ils passèrent au camion, espérant y découvrir un indice qui les mettrait sur la trace du conducteur ou du propriétaire. Pas le moindre nom, pas la moindre initiale, rien... Toutefois, Alice fit remarquer que les spécialistes de la police judiciaire disposaient du matériel nécessaire pour déchiffrer les inscriptions dissimulées sous une couche de peinture.

« As-tu jeté un coup d'œil à l'intérieur du camion ? demanda M. Roy à sa fille.

— Pas encore. »

Elle grimpa à l'arrière et promena la lueur de sa torche dans toutes les directions. Rien sur le plancher ni sur les flancs. Celui ou ceux qui avaient organisé l'accident avaient pris toutes leurs précautions.

Sur ces entrefaites, une voiture de police arriva avec deux dépanneuses. Les inspecteurs prirent plusieurs instantanés, un spécialiste releva les empreintes sur le volant et les poignées, mais déclara presque aussitôt que, trop de mains les ayant touchés, une identification précise serait impossible.

« Encore une enquête qui promet d'être longue et laborieuse ! » chuchota Alice à son père et à Ned.

Les inspecteurs interrogèrent ensuite l'avoué et sa fille : soupçonnaient-ils quelqu'un ou se connaissaient-ils des ennemis ?

« Non, nous n'avons pas la moindre idée de qui peut provenir pareille invention ! répondit M. Roy. Quant à d'éventuels ennemis, dans mon métier il est difficile de ne pas s'en faire. »

Lorsque les dépanneuses eurent emmené le

camion et le cabriolet, Ned fixa à l'aide d'un fil de fer, pris dans son coffre, la torche de M. Roy et celle d'Alice à la place de ses phares réduits en miettes.

« Je vais en faire remettre d'autres au garage le plus proche », dit-il.

Au moment de partir, il ajouta gentiment :

« Écoute, Alice, si la police ne met pas tout de suite la main sur le coupable, je te promets de me livrer de mon côté à une enquête pendant que tu seras en Écosse.

— Merci ! Et bonne chance ! répondit-elle avec un sourire.

— Je te passerai un coup de fil demain matin pour savoir s'il y a du nouveau », promit-il.

Les Roy et Sarah regagnèrent le salon où ils discutèrent longuement de cette ténébreuse affaire. Soudain, Alice bondit sur ses pieds.

« Bess ! Pauvre Bess ! j'ai oublié de la rappeler ! »

La pauvre Bess n'était pas contente du tout et elle ne se fit pas faute de le dire à son amie.

« Que t'est-il arrivé ? Je me morfondais dans l'attente de ton coup de téléphone ! Pourquoi as-tu mis si longtemps à me rappeler ? »

En apprenant la cause du silence d'Alice, Bess poussa des exclamations de fureur.

« C'est épouvantable ! Comment peut-on faire des choses pareilles ! J'espère que la police mettra la main sur le coupable !

— Moi aussi, et maintenant parle-moi un peu de ce fameux voyage. »

Bess lui expliqua qu'elle avait le droit de choisir le pays où elle désirait se rendre. Pendant qu'elle parlait, une idée traversa l'esprit d'Alice.

« Pourquoi n'emmènerais-tu pas Marion ? Comme cela nous accompagnerions papa toutes les trois.

— Que veux-tu dire ? »

Ce fut au tour d'Alice d'exposer le projet formé par son père.

« Moi qui étais si contente déjà, me voici maintenant folle de joie ! s'exclama Bess. Nous ne serons pas séparées et ce sera merveilleux de découvrir ensemble cette Écosse dont nous rêvons depuis toujours.

— Et de mener deux enquêtes dans un pays inconnu, ne l'oublie pas ! Je suis persuadée que cette perspective sera du goût de Marion. »

La cousine de Bess aidait beaucoup Alice dans son travail de détective. Équilibrée, très courageuse, elle aimait l'aventure. Mince et sportive, elle portait très court ses cheveux, qu'elle avait bruns, et elle affectionnait les tailleurs ou les robes de coupe simple. Toujours de bonne humeur, elle avait sous ses dehors de garçon manqué un cœur d'or.

« Je lui téléphone tout de suite et te rappellerai après », dit Bess.

Dix minutes plus tard, Alice entendit de nouveau sa voix joyeuse résonner dans l'écouteur :

« Tout est arrangé ! Quand partons-nous ? Ton père se charge-t-il de réserver nos places ? »

Alice courut le lui demander.

« Nous partirons dans trois jours, répondit-il. Je suis enchanté que tes amies nous accompagnent.

— Dans trois jours ! s'exclama Bess. Aïe ! Aïe ! Comment allons-nous être prêtes ! C'est une chance encore que nos passeports ne soient pas périmés ! »

Alice retourna au salon dire bonsoir à son père et à

Sarah, puis elle se retira dans sa chambre. Après avoir commencé à trier un peu les vêtements qu'elle désirait emporter, elle se coucha, si lasse qu'elle s'endormit aussitôt. Le lendemain matin, elle aida Sarah à préparer un solide petit déjeuner composé de jambon, d'œufs, de fraises à la crème, le tout accompagné de pain de mie et de beurre.

M. Roy venait de quitter la maison lorsque le facteur arriva avec un abondant courrier. Alice ouvrit une enveloppe dont l'adresse était écrite à la machine et ne portait pas au dos le nom de l'expéditeur. Un cri de surprise lui échappa.

« Qu'y a-t-il ? De mauvaises nouvelles ? s'enquit Sarah, prompte à s'inquiéter.

— Dans une certaine mesure, oui ! C'est une lettre de menaces !

— Oh ! » soupira la pauvre Sarah en prenant la lettre que lui tendait Alice.

À haute voix, elle lut :

« L'accident de votre cabriolet n'est que le premier d'une série d'autres qui vous arriveront à vous ou à toute voiture dans laquelle vous monteriez. »

Bien entendu, le message n'était pas signé.

Alice glissa la main à l'intérieur de l'enveloppe dans laquelle elle avait l'impression qu'il était resté quelque chose, et en tira un petit carré de tissu écossais.

« Les couleurs du clan Douglas ! s'écria-t-elle.

— Qu'est-ce que tout cela veut dire ? » fit Sarah, abasourdie.

Alice garda le silence quelques secondes, puis enfin, elle répondit :

« Selon moi, l'auteur de ce message veut m'avertir que l'accident est lié à mon voyage en Écosse. Sans doute est-ce tout simplement lui qui a volé le souvenir de famille dont je devais hériter, et il ne veut pas que je me mette en travers de ses desseins.

— Mais la lettre porte le cachet de la poste de River City », objecta Sarah.

Le front plissé sous l'effort de réflexion auquel elle se livrait, Alice répondit :

« Il n'est pas exclu que ce souvenir — de valeur, m'a précisé papa — ait été envoyé ici. Quoi qu'il en soit, je vais de ce pas porter lettre et enveloppe au commissariat. »

Cela fait, Alice passa le reste de la journée dans les magasins, au garage et au siège de la compagnie qui assurait son cabriolet. Le mécanicien apprit à la jeune fille que la réparation prendrait pas mal de temps. Le commissaire ignorait toujours l'identité du conducteur du camion.

Dans la soirée, Sarah et Alice allèrent promener le chien Togo. M. Roy se mit à travailler dans son bureau.

Au bout d'une demi-heure de courses et de jeux, Alice rappela le terrier qui gambadait, ivre de joie :

« Togo, viens ici ! Tu m'épuises. Nous rentrons. »

Et, tirées par le chien, Alice et Sarah regagnèrent la maison. Comme elles s'engageaient dans l'allée du jardin, elles entrevirent une silhouette masculine qui s'éloignait furtivement de la façade. Aussitôt, Alice lâcha Togo qui partit à fond de train. Hélas ! quand elles atteignirent le perron, l'homme avait disparu.

Alice rejoignit Sarah.

« Je n'aime pas du tout cela, dit celle-ci. Cet homme n'avait pas la conscience tranquille, sinon il ne se serait pas enfui à notre approche.

— Je suis entièrement d'accord avec toi. Inspectons

un peu les alentours, nous arriverons peut-être à savoir qui il est. »

Elle fit rentrer Togo dans la maison, prit sa torche dans la commode du vestibule et se mit à examiner les empreintes laissées par les pieds du malfaiteur. Une série de ces empreintes montait les marches du perron, une autre les redescendait. Elle n'eut pas le loisir de la suivre, car, juste à ce moment, la voix de Sarah retentit :

« Alice, vite ! quelque chose fait "tic tac" dans la boîte aux lettres ! »

Alice se retourna et regarda la boîte en fer fixée à la porte d'entrée. Une expression d'effroi se peignit sur son visage.

« Une bombe ! » s'écria-t-elle.

Chapitre 3

Une publicité regrettable

Voyant Alice se précipiter vers la boîte aux lettres, Sarah s'affola :

« N'y touche pas !

— Le mouvement d'horlogerie vient seulement de se mettre en marche, j'ai le temps. »

En moins d'une seconde, elle avait décroché la boîte et l'avait jetée au loin, sur la pelouse ; puis elle s'éloigna en hâte, le cœur battant. Jusqu'ici, elle n'avait entendu que cinq tic-tac. Six... sept... huit... neuf...

BOUM !

L'explosion fit voler la boîte en éclats, creusa un trou profond dans le sol et éparpilla, dans toutes les directions, herbe, terre et pierres.

Le bruit fit accourir M. Roy.

« Qu'est-il arrivé ? » demanda-t-il.

Ses jambes ne la portant plus, la pauvre Sarah s'était laissée choir sur une marche du perron et, les bras repliés sur la poitrine, elle se balançait d'avant en arrière, sans parvenir à se dominer.

« C'est terrible, terrible ! » gémissait-elle.

Bien que très bouleversée elle-même, Alice rassura son père.

« Vous auriez pu être tuées toutes les deux ! s'exclama-t-il, furieux contre l'auteur de cet attentat. Je n'aurai de cesse que le misérable ne soit sous les verrous. »

Il rentra dans la maison pour téléphoner au commissariat de police. Alice alla examiner les débris de l'explosion. Elle aperçut de petits morceaux de papier portant des traces d'écriture.

« Voilà qui est curieux, se dit-elle. Nous avions déjà pris le courrier du soir. Et la personne qui a apporté la bombe n'a certainement pas déposé de message par la même occasion. »

Elle ramassa tous les bouts de papier qu'elle put trouver et les porta à Sarah, toujours assise sur le perron.

« Je me demande quand cette lettre a pu être glissée dans la boîte. Le sais-tu, Sarah ?

— Eh bien, au moment où je m'apprêtais à servir le dîner, la sonnette a tinté. Quand j'ai ouvert, il n'y avait personne. Je me suis dit que c'était un tour que me jouait un galopin du voisinage. Crois-tu que le porteur de la lettre ait pu sonner et s'enfuir aussitôt ?

— Bizarre ! » fit Alice, plus déconcertée que jamais.

Elle se rendit dans la salle à manger et étala les bouts de papier sur la table. Il lui fallut assez longtemps avant de réussir à assembler les fragments déchiquetés. Quelques mots manquaient encore, mais elle put tout de même comprendre clairement le sens du message. Il était ainsi conçu :

Roy va vous faire sauter avec une bombe !

« Roy ? qui pouvait bien être ce Roy ? » se demandait-elle. Sarah et M. Roy vinrent lui annoncer que les

deux inspecteurs prenaient le moulage des diverses empreintes. Alice leur montra le message.

« Comme je suis contente que vous partiez tous les deux pour l'Écosse ! s'exclama Sarah en levant les yeux vers le ciel. Si vous restiez ici, vous finiriez par vous faire tuer ! »

Alice et son père furent obligés de reconnaître que cette opinion n'était pas dépourvue de fondement.

« Dans tout cela il y a au moins une chose intéressante, fit toutefois observer Alice. Si j'ai un ennemi, j'ai en revanche une amie — tout aussi inconnus l'un que l'autre, d'ailleurs. Cette écriture me semble en effet très féminine.

— Sans nul doute, dit M. Roy. Ce qui n'empêche que ton ennemi m'inquiète. Il est lâche et rusé. Qui sait ce qu'il va imaginer à présent ? »

Le timbre de l'entrée résonna. Alice alla ouvrir. C'était M. Stevenson, le commissaire de police, un vieil ami de M. Roy et de sa fille, qu'il nommait en riant « sa meilleure collaboratrice ».

Une fois confortablement installé dans un fauteuil du salon, cet homme jovial et intelligent voulut connaître l'affaire dans les détails.

« Raconte-moi tout, depuis le début, je t'en prie », dit-il à Alice.

En termes concis, la jeune fille relata les divers événements qui venaient de se dérouler.

Le commissaire siffla entre ses dents.

« Donne-moi un morceau de carton léger et de la colle ; je voudrais assembler ce message et l'emporter à mon bureau. »

Alice apporta les objets demandés et à eux deux ils vinrent rapidement à bout de cette ennuyeuse besogne. Sur ces entrefaites, les inspecteurs avertirent M. Stevenson qu'ils avaient terminé. Permission leur fut donnée de regagner le commissariat.

Alice se plongea dans l'étude du singulier message manuscrit. Avec un peu de chance ne fournirait-il pas la solution du mystère ? Prenant un papier calque, elle copia les quelques mots patiemment reconstitués.

« Est-ce un défi ? demanda M. Stevenson en riant. On m'a dit que vous partiez pour l'Écosse dans deux jours. Vous n'avez pas une minute à perdre si vous voulez percer avec moi le mystère de ce message.

— Oh ! j'ai le temps, répliqua la jeune fille sur le même ton. Demain, je m'y mets ! »

Le lendemain matin, Alice dit à son père qu'elle avait l'intention d'interroger les commerçants de River City sur l'éventuelle présence d'Écossais étrangers à la ville.

« Cela me permettrait peut-être de remonter jusqu'à la personne qui m'a envoyé le carré de tartan.

— Bonne chance ! » lui dit-il en la regardant partir.

Elle se rendit de boutique en boutique, posant les mêmes questions, recevant les mêmes réponses, négatives.

« Mon idée ne valait rien ! » se dit-elle, dépitée, et elle reprit le chemin de sa maison.

Alors qu'elle longeait la rue principale, son regard fut attiré par la vitrine d'un photographe. À sa grande stupéfaction, que vit-elle ? Un agrandissement de la photo qui avait remporté le prix.

Alice se rapprocha. Au centre de l'étalage trônait un exemplaire de la revue *Photographie internationale* dont la couverture représentait Alice étudiant des empreintes à l'aide d'une loupe.

« C'est vrai qu'elle est bonne ! se dit-elle. Mais comme je voudrais que Bess ait gagné le concours avec un autre sujet que celui-là ! »

Elle était à ce point absorbée dans la contemplation de la revue, qu'elle ne vit pas les passants se masser peu à peu autour d'elle. Au moment où elle s'apprêtait à s'éloigner, des acclamations fusèrent — ce qui eut pour résultat de faire accourir d'autres curieux.

« C'est bien vous... Alice Roy ! s'écria une petite fille. Vous êtes célèbre !

— La grande détective en personne ! » reprit quelqu'un dans la foule.

Jouant des coudes, un petit garçon s'approcha d'elle.

« S'il vous plaît, donnez-moi un autographe ? »

Avec ses grands yeux implorants, ses vêtements élimés, il était si attendrissant qu'Alice ne put résister. Prenant un bloc-notes dans son sac, elle écrivit son nom sur une feuille qu'elle arracha et tendit au gamin avec un sourire.

Sur un joyeux merci, l'enfant disparut dans la foule.

« Moi aussi, j'en veux un ! dit une petite fille en s'avançant.

— Tiens, voilà, ma chérie », répondit Alice.

Cela fit l'effet d'un signal. Une douzaine d'enfants se ruèrent sur Alice, réclamant des autographes. Un gracieux sourire aux lèvres elle déféra à leur désir mais, lorsque plusieurs adultes s'avancèrent, elle hocha la tête.

« Excusez-moi, dit-elle gentiment. C'était pour faire plaisir aux enfants. »

À ce moment, son regard fut attiré par le petit garçon pauvrement vêtu qui se tenait un peu en arrière de la foule. À son vif ennui, elle le vit troquer l'autographe qu'elle lui avait accordé contre un billet que lui tendait un inconnu.

« Par exemple ! » s'exclama-t-elle, mécontente.

Et elle interpella l'homme.

« Monsieur, je viens de préciser que les autographes étaient réservés aux seuls enfants. Veuillez me rendre celui-ci ! »

Au lieu de s'exécuter, l'homme ricana :

« Merci, le môme ! Tu m'as rendu service ! »

Et, faisant demi-tour, il s'éloigna rapidement. Alice était folle de colère. Son instinct l'avertissait qu'il lui fallait se méfier de cet homme.

Se frayant un passage à travers la foule, elle se précipita à la suite de l'amateur d'autographes. Hélas ! il avait sur elle une forte avance et, quand Alice déboucha dans la rue qu'il avait prise, il n'était plus en vue. Déçue, elle rebroussa chemin.

Elle constata avec soulagement que la foule qui stationnait devant le photographe s'était dispersée. Il ne restait plus que le gamin qui lui avait joué, à son insu, un si vilain tour.

Il courut vers Alice.

« S'il vous plaît, mademoiselle, un autre autographe ! » implora-t-il.

Alice était furieuse contre lui ; aussi, posant ses mains sur les petites épaules, elle regarda l'enfant bien en face.

« Pour le vendre encore ?

— N... non, bégaya le petit en tremblant. Pour moi.

— Qui est l'homme auquel tu as vendu l'autre ? »

Le petit se mit à pleurnicher.

« Je n'en sais rien... c'est vrai ! Quand vous avez dit que vous ne donneriez pas d'autographe aux grandes personnes, il m'a agité un billet sous le nez et je n'ai pas eu le courage de dire non. Ma mère est malade, nous ne sommes pas riches. »

Alice lâcha l'enfant qui ne cessait d'affirmer sa bonne foi.

« C'est bon ! dit-elle enfin en sortant le bloc-notes de

son sac. Tu vas me donner, toi, un autographe, m'écrire ton adresse au-dessous, et nous serons quittes. »

Le gamin s'exécuta sans rechigner. Alice prit la feuille et la parcourut.

« Johnny Barto, un de ces jours, je te rendrai visite, dit-elle, et si je constate que tu as dit la vérité, tu auras droit à un autre autographe. D'accord ?

— D'accord ! » répondit en souriant l'enfant, et il s'éloigna.

Alice eut une minute la tentation de le suivre ; était-ce bien vrai qu'il ne connaissait pas l'homme avec qui il avait conclu son marché ? Pourquoi cet homme tenait-il tant à se procurer la signature d'Alice ? Voulait-il s'en servir à des fins répréhensibles ?

Quand elle cessa d'être absorbée par ses réflexions, l'enfant n'était plus en vue. « Peu importe ! se dit-elle, car, au fond, je suis convaincue qu'il ne mentait pas. Par mesure de précaution, je demanderai à Ned de me conduire chez la mère de Johnny. Quel ennui de ne pas avoir de voiture ! Je ne peux rien faire par moi-même. »

Alice nota en pensée tous les détails qu'elle avait enregistrés lors de sa brève altercation avec l'inconnu. De taille moyenne, plutôt mince, il avait une tignasse blonde et des joues rouges.

Était-ce lui qui avait déposé la bombe ? Lui aussi qui avait machiné l'accident survenu à son cabriolet ? Pourquoi pas ? Puisque son enquête de l'après-midi n'avait rien donné, Alice décida de changer de tactique.

« Je vais concentrer toute mon attention sur cet amateur d'autographes ! »

Elle interrogea de nouveau les divers commerçants du quartier, sans résultat, jusqu'au moment où elle pénétra dans un drugstore. Elle connaissait bien le gérant, M. Gregg, fournisseur des Roy depuis toujours.

En la voyant approcher du comptoir, M. Gregg eut un large sourire.

« Bonjour, Alice ; quel bon vent vous amène ? Vous avez peut-être besoin d'un cachet d'aspirine pour calmer une affreuse migraine causée par quelque nouveau mystère... insoluble, comme il se doit ?

— Le mystère existe bel et bien, monsieur le taquin, répondit en riant la jeune fille, mais il ne m'a pas encore donné mal à la tête. En fait d'aspirine, je préférerais un petit renseignement.

— À une vieille cliente comme vous, je ne le ferai pas payer. »

Reprenant son sérieux, Alice décrivit l'homme qui avait acheté son autographe. À sa grande joie, M. Gregg répondit :

« Je crois pouvoir vous aider. »

Effectivement, un homme répondant à la description qu'elle venait de lui faire venait souvent téléphoner dans la cabine publique du drugstore.

« Une fois, je l'ai entendu se nommer Paul. Aujourd'hui, il est entré en courant, s'est précipité dans la cabine dont, par mégarde, il n'a pas complètement fermé la porte. Comme je passais devant, il disait à son interlocuteur : "Tout va bien. Je possède la signature de cette fille." »

De joie, Alice faillit crier « hourra » ! Elle se retint et se contenta de remercier dignement le gérant du drugstore.

Elle se rendit directement chez le commissaire de police, à qui elle fit un résumé de l'incident de l'autographe et des renseignements fournis par M. Gregg.

« Vous avez bien fait de venir, Alice. Je vais charger un de mes hommes de retrouver ce Paul. Un prénom, c'est un renseignement un peu maigre. Je ne vous promets pas d'identifier avant votre départ le ou les misérables qui vous en veulent...

— L'important, c'est de les prendre, répondit-elle en souriant. S'il y a du nouveau, soyez assez gentil pour m'envoyer un mot en Écosse. »

Elle inscrivit sur une feuille le nom et l'adresse des hôtels où son père comptait descendre à Glasgow et à Édimbourg, ainsi que l'adresse de Lady Douglas, et la tendit à M. Stevenson.

Quand Alice rentra chez elle, Sarah la prévint que Ned l'avait appelée au téléphone. Il désirait lui dire au revoir, mais il lui fallait au préalable rédiger un long rapport sur son voyage en Amérique du Sud.

« J'ai pris la liberté de l'inviter à dîner », dit Sarah.

Et avec un clin d'œil malicieux, elle ajouta :

« Cela ne t'ennuie pas, au moins ? »

Alice serra Sarah dans ses bras en riant et monta dans sa chambre terminer ses valises.

À six heures, Ned arriva.

« J'espère que tu ne m'en voudras pas d'être venu si tôt, dit-il. Mais j'ai quelque chose à te montrer et je bouillais d'impatience. »

Il lui tendit *L'Écho du soir,* journal à sensation que ni les Roy ni Ned n'achetaient jamais.

Alice le déplia et parcourut la première page. Un cri de stupeur lui échappa : en gros caractères, bien en vue, on pouvait lire :

Un amateur d'autographes met en fureur une jeune détective !

Au-dessous : une grande et fort peu flatteuse photo d'Alice donnant la chasse au mystérieux inconnu.

Chapitre 4

« Scots, wha hae ! »

Alice ne parvenait pas à en croire ses yeux.

« Et moi qui pensais que ce voyage en Écosse était ultra-secret ? dit Ned.

— Que veux-tu dire ? »

Ned posa l'index sur l'article :

« Tout y est : ton départ pour Inverness, la disparition mystérieuse d'un bijou que ta grand-mère entendait te léguer, ton intention d'entreprendre des recherches à ce sujet.

— Comment... Comment *L'Écho du soir* s'est-il procuré ces informations ? dit Alice, déconcertée.

— Se pourrait-il que Bess et Marion aient mentionné ton projet à des amis ? » suggéra Ned.

Alice était sûre de la discrétion absolue des deux cousines... néanmoins, elle leur téléphona. Outrées, elles protestèrent énergiquement. Alice n'avait-elle plus confiance en elles ? Avaient-elles jamais dévoilé quoi que ce soit de nature à nuire au travail de leur amie ?

De plus en plus perplexe, Alice revint auprès de Ned et lut l'article de la première à la dernière ligne.

« Seigneur ! il est même précisé que ce fameux souvenir de famille est un bijou — ce que j'ignorais — et qu'il a été égaré ou perdu par Lady Douglas.

— Je parierais volontiers, dit Ned, que cette histoire a été transmise d'Écosse ici. Et que celui qui l'a transmise est l'ennemi qui te cherche noise. »

Le jeune homme regarda longuement Alice, puis il dit enfin :

« Désires-tu tant que cela te rendre en Écosse ?

— Bien sûr. Pourquoi cette question ? »

À la grande surprise d'Alice, Ned lui raconta qu'au moment où il s'apprêtait à quitter sa maison, il avait reçu un appel téléphonique anonyme.

« Mon interlocuteur, un homme qui, de toute évidence, déguisait sa voix, m'a dit textuellement ceci : "Un bon conseil ! Si vous tenez à votre amie la détective, empêchez-la de partir pour l'Écosse." »

Les sourcils froncés, la mine sombre, Alice réfléchit. La situation était grave, inutile de se le dissimuler. Tout en s'efforçant de rassurer Ned, elle ne pouvait se défendre d'une certaine crainte.

« Je vais téléphoner à ce journal et tâcher de savoir de qui le rédacteur tient ces informations. »

La réponse fut loin d'être satisfaisante. Une voix de femme lui déclara que les bureaux étaient fermés et que la majorité du personnel était parti.

« Rappelez demain matin », dit-elle, et elle raccrocha.

Au cours du dîner, la teneur de l'article fut longuement discutée.

« Avez-vous remarqué qu'il n'est pas question de vol ? fit observer Alice.

— C'est en effet curieux, répondit M. Roy. D'autant plus curieux que cette idée vient tout de suite à l'esprit. »

Alice dévoila le reste de sa pensée. La personne qui avait communiqué cette information au journal savait sans doute que le souvenir de famille avait été volé — soit qu'elle l'eût volé elle-même, soit qu'elle eût été complice du vol. « Si j'arrive à amener tout le monde à croire que ce souvenir a été perdu ou égaré, ni la police ni qui que ce soit ne songera à chercher un voleur », se sera-t-elle dit.

« Raisonnement un peu spécieux, mais qu'on ne saurait écarter », déclara M. Roy.

Alice se tourna vers Ned.

« Comme nous partons de très bonne heure demain matin, il me sera impossible de retéléphoner à *L'Écho du soir*. Pourrais-tu t'en charger ?

— Que dirais-tu si j'élucidais le mystère pendant que tu seras de l'autre côté de l'Océan ? plaisanta Ned.

— Je t'en défie, répondit Alice en riant.

— Votre confiance m'honore, détective Roy. Pas d'autres instructions ? fit Ned en se mettant au garde-à-vous.

— On verra. En attendant, il y a encore quelque chose qu'il importe que tu saches, vilain moqueur. »

Et elle lui parla de la bombe, du message éparpillé par le souffle de l'explosion et de la reconstitution qu'elle avait pu en faire.

Ned ouvrait de grands yeux effarés.

« Une fois le message reconstitué, j'en ai pris un calque, je te le remettrai avant de partir. Sait-on jamais, tu découvriras peut-être la personne qui me l'a adressé. »

Elle mentionna ensuite Johnny Barto et pria Ned d'aller voir le gamin.

« Entendu, chef. »

Dans le vestibule, en prenant congé d'Alice, Ned lui annonça qu'il passerait la nuit chez une tante demeurant à River City — ce qui lui permettrait de conduire tout le monde à l'aérodrome.

Le lendemain, à l'heure dite, Ned arriva. Il aida M. Roy à ranger les valises dans le coffre. Alice embrassa tendrement Sarah, très émue, et ils partirent.

Bess et Marion les attendaient près de la porte du jardin des Webb. Quand les trois jeunes filles se furent installées à l'arrière, elles se regardèrent et éclatèrent de rire. Elles étaient toutes les trois habillées de manière identique : manteau et chaussures bleu marine. Sous son manteau, Alice portait une robe à rayures bleu foncé et vertes qui faisait ressortir la blondeur de ses cheveux, Bess un deux-pièces gris-bleu, et Marion une jupe bleu marine et une chemisette blanche.

Le trajet jusqu'à l'aéroport se fit sans incident. Au moment des adieux, Ned se pencha vers Alice et lui chuchota à l'oreille :

« N'oublie pas d'être de retour le 10 juin !

— Je ferai de mon mieux, promis ! » répondit-elle.

Peu après, l'appareil prenait l'air, destination New York. Alice mit ses amies au courant des dernières nouvelles.

« Brrr ! tout cela ne présage rien de bon, déclara Bess. Vous ferez ce que vous voudrez, moi, je suis bien décidée à ne m'occuper que du paysage écossais. »

Ce à quoi Marion répliqua aussitôt :

« Et pendant que tu rêveras éveillée, un monstre affreux se glissera derrière toi et t'enlèvera, belle cousine ! »

Bess eut une mine si effrayée qu'Alice, compatissante, lui fit une rassurante mimique.

À l'escale de New York, M. Roy annonça qu'il avait un confrère à voir et ne reviendrait que peu avant le départ de l'avion qui les emporterait en Écosse.

« Tu avais l'intention d'aller embrasser ta tante Cécile, n'est-ce pas, Alice ? dit-il.

— Oui, nous allons toutes les trois chez elle. »

Mlle Cécile Roy, sœur de l'avoué, était professeur à New York. Elle étendait à ses amies l'affection que lui inspirait Alice et les recevait souvent.

Prévenue la veille par un coup de téléphone, elle les accueillit avec chaleur. Grande, très jolie, elle ressemblait à sa nièce.

« Comme je suis heureuse de vous revoir toutes les trois ! Tu ne m'as pas précisé la durée de ton séjour, Alice ! J'espère qu'il sera long.

— Hélas ! non. Nous repartons ce soir même. Aussi ne gaspillons pas une minute. Nous avons tant de choses à nous raconter. Il va falloir parler à toute allure ! »

Mlle Roy écouta sa nièce lui résumer les incidents qui avaient précédé leur départ de River City.

Horrifiée, elle s'exclama :

« Ma chérie ! je vais me tourmenter pendant tout le temps de votre séjour en Écosse. Je t'en conjure, sois prudente ! »

Alice le lui promit volontiers. Mlle Roy se leva, ouvrit un tiroir et en sortit un objet long et étroit, taillé dans de l'ivoire.

« Voici un tuyau métallique qui vient d'une cornemuse écossaise. On l'appelle parfois "chantre". Ayant assisté il y a quelques jours à un spectacle de danses écossaises au son des cornemuses, j'ai eu envie de jouer un air sur un de ces instruments.

— Quelle bonne idée ! approuva Bess. Je vous en prie, jouez-nous quelque chose. »

En riant, Mlle Roy porta l'instrument à ses lèvres et joua quelques notes mélancoliques :

« C'est le début de *Scots, wha hae.*

— Tu joues merveilleusement ! dit Alice. Mais peut-on savoir ce que signifie : *Scots, wha hae* ? »

Imitant l'accent écossais, aux intonations rauques, Mlle Roy récita les deux premiers vers d'une très ancienne ballade :

« Scots, wha hae wi' Wallace bled,
Scots, wham Bruce has aften led. »

Elle leur expliqua ensuite que ce chant avait été composé par le poète écossais Robert Burns pour commémorer la bataille de Bannockburn, qui eut lieu en 1314.

« Ce fut, hélas ! un sanglant combat, ainsi que vous pourrez en juger d'après la traduction :

"Écossais, qui tant de fois avez répandu votre sang [avec Wallace.
Écossais, que tant de fois Bruce a conduits à la [bataille."

— Puis-je essayer ce chalumeau ? demanda Alice.

— Certainement. D'abord, je vais te montrer l'emplacement des notes et la manière de tenir les doigts. Inutile de faire des fioritures pour commencer. »

Docile, Alice se laissa guider.

« Et maintenant, souffle dans le chalumeau en soulevant les doigts l'un après l'autre. N'essaie pas de jouer un air avant de savoir la gamme. »

Au début, Alice avait toutes les peines du monde à remuer les doigts sans lâcher l'instrument. Sa tante lui conseilla de s'asseoir et d'appuyer l'extrémité du chalumeau sur son genou. Bientôt, la jeune fille réussit à jouer des gammes. Elle proposa à ses deux amies d'essayer à leur tour. Elles se récusèrent, ni l'une ni l'autre ne se sentant des dispositions.

« Je te défie de jouer *Scots, wha hae,* dit en riant Marion.

— Joue-le d'abord sans fioritures, indiqua Mlle Roy, encore que ce soit ce qui donne à la cornemuse son charme si particulier, cela et les autres tuyaux, appelés "bourdons", qui produisent chacun un seul son destiné à former un rudiment d'accord. »

Alice s'exerça quelques minutes et, avec l'aide du manuel que sa tante lui prêta, elle parvint à jouer non seulement une mélodie, mais la mélodie avec fioritures.

« Bravo ! encore un talent à ajouter à tous ceux que possède Alice, l'Unique », plaisanta Bess.

Ce à quoi l'objet de tant d'hyperboles répondit par une vilaine grimace.

Avant de quitter sa tante, Alice reprit encore le chalumeau et joua trois fois la première phrase de la mélodie qu'elle venait d'apprendre.

« Je préférerais te voir occupée à cela plutôt qu'à pourchasser jusque dans leurs sombres repaires d'horribles individus sans foi ni loi, remarqua Mlle Roy, une lueur malicieuse dans les yeux. Tu pourrais peut-être profiter de ton séjour en Écosse pour apprendre d'autres mélodies.

— J'en doute fort, intervint Marion. Alice a de quoi faire si elle veut retrouver le souvenir de famille et traquer les hommes qui déciment les troupeaux de moutons.

— Il ne me reste donc qu'à vous souhaiter bonne chance, mais je vous en supplie encore une fois : soyez prudentes ! »

Alice et ses amies se firent conduire en taxi à l'aérodrome international, où M. Roy les attendait déjà. Ils montèrent à bord d'un appareil très luxueux, muni de sièges dont le confort enchanta Bess. Après avoir fort bien dîné, les voyageurs s'installèrent en vue de la nuit. L'arrivée à Glasgow était prévue pour six heures du matin.

Quand les passagers se réveillèrent, Marion éprouva les plus grandes difficultés à secouer Bess. Elle ne savait plus où elle était et prétendait avec vigueur qu'il était beaucoup trop tôt.

Enfin, la vue de plateaux chargés d'alléchants petits pains, au-dessus desquels tournoyait la fumée d'un chocolat odorant, lui rendit sa vivacité coutumière. Elle feignit de ne pas voir les regards ironiques que ses amies posaient sur sa silhouette replète. Que de fois, en se contemplant dans la glace, n'avait-elle pas clamé son désir d'être plus mince ! « C'est décidé, disait-elle, demain, je me mets au régime. » Ce demain n'arrivait jamais.

Les jeunes filles commençaient à peine à savourer le petit déjeuner que l'avion se mit à tanguer violemment. Elles levèrent les yeux, effrayées. Que se passait-il ? Une avarie de moteur ?

Chapitre 5

Un voyageur peu conciliant

L'avion continua à tanguer. Livide de peur, Bess ferma les yeux — ce qui l'empêchait de voir que ses deux amies, les mains agrippées aux accoudoirs de leur siège, n'étaient pas très fières non plus.

Tasses, soucoupes, petits pains volaient dans toutes les directions, thé et café au lait maculaient les vêtements des passagers. Enfin, le *jet* s'équilibra.

Le commandant de bord vint s'excuser :

« Notre pilote automatique est déréglé. Nous allons poursuivre en commande manuelle. »

Les jeunes filles poussèrent un soupir de soulagement. Bess rouvrit les yeux et un peu de rose lui colora les joues.

Quelques minutes plus tard, l'appareil faisait un atterrissage irréprochable à l'aéroport international de Prestwick.

« Nous voilà en Écosse ! exulta Marion. À nous les fantômes et les mystères !

— Vraiment, Marion ! protesta Bess. Comment peux-tu évoquer des choses aussi déplaisantes au moment de poser le pied sur cette terre qui a inspiré tant de poètes ! »

Cette belle tirade provoqua l'hilarité d'Alice et de Marion. Bess prit un air pincé, puis, sa bonne humeur naturelle l'emportant sur sa susceptibilité, elle se mit à rire d'elle-même. Et ce fut le sourire aux lèvres que les trois amies se plièrent aux diverses formalités douanières. À la sortie de l'aérogare, M. Roy appela un taxi. Le chauffeur, un homme d'environ quarante ans, aux cheveux noirs, avait un visage jovial, couleur de brique. Il déclara s'appeler Donald Clark. M. Roy monta à côté de lui, les jeunes filles s'installèrent à l'arrière et la voiture prit la direction de Glasgow.

L'accent typiquement écossais du chauffeur, son sens très fin de l'humour divertissaient les trois amies. Tout en roulant, il leur faisait admirer certains paysages plus beaux les uns que les autres et alla même jusqu'à citer des passages d'un poème de Robert Burns.

« Il faudra que vous alliez voir la maison natale de Bobby, dit-il.

— Qui est Bobby ? demanda Bess à voix basse.

— C'est le diminutif de Robert, voyons ! répondit sa cousine.

— Et aussi le pont O'Doon, reprit le chauffeur, inconscient de l'effet produit par la familiarité avec laquelle il parlait d'un grand poète.

— Le pont O'Doon, fit Alice. N'est-ce pas celui que franchit Tam O'Shanter ?

— Bien sûr ! répondit en riant Donald. On peut dire qu'il vous arrive de drôles de choses quand on lâche la bride à son imagination. Pauvre Tam... Il a été à deux doigts de tuer son canasson en le faisant galoper ventre à terre pour le libérer de la sorcière qui s'était accrochée à sa queue. »

Bess et Marion demandèrent à leur amie des explications, car elles n'avaient rien compris à ce dialogue.

« Tam O'Shanter, leur dit Alice, était un franc vaurien, ivrogne invétéré qui, un soir d'orage, s'était attardé dans une auberge des environs de Glasgow. Dehors, la tempête faisait rage : tonnerre, éclairs, rafales se succédaient, la pluie tombait à verse. Mais Tam n'a pas peur. Monté sur sa jument, Meg, il part au galop dans la nuit noire. Hélas ! il a trop bu, et bientôt, en proie à son imagination, il croit voir un immense chien noir jouer de la cornemuse, des elfes danser des rondes échevelées.

« Soudain, à un détour du chemin, il aperçoit des sorcières qui s'élancent à sa poursuite. Il fouaille sa monture. Pourvu qu'il atteigne le Doon ! C'est un fait bien connu que sorcières et autres esprits malfaisants doivent s'arrêter au milieu de la première eau courante ; passé cette limite, il leur est interdit de tourmenter leur proie. Le tonnerre gronde. La foudre s'abat non loin du cavalier, qui talonne sa jument. Les cris sinistres des sorcières se rapprochent.

« Enfin voici le pont : un dernier effort !... Au moment où la vaillante Meg passe sous la clef de voûte, l'une des sorcières lui saisit la queue et l'arrache. Mais Tam est sauvé.

« Cette légende a été racontée en vers par Robert Burns, dit Alice pour terminer. *Tam O'Shanter* est un de ses poèmes les plus connus. »

Les trois jeunes filles se turent, chacune évoquant à sa façon l'époque où sorcières et fées faisaient partie de la vie quotidienne.

Dans les faubourgs de Glasgow, des bandes de

mouettes traçaient des cercles au-dessus des maisons et sur les quais. Donald expliqua à ses jeunes passagères, intriguées de voir ces oiseaux suivre les paquebots, qu'ils se nourrissaient des déchets provenant des cuisines du bord. Autre sujet d'étonnement : les longues rangées de vieilles maisons de pierre surmontées d'un grand nombre de cheminées de terre cuite. Alice en compta jusqu'à neuf sur un seul toit.

Donald eut un sourire amusé.

« Vous autres, jeunes Américaines, vous ne connaissez que le chauffage central. Nous, c'est rare que nous l'ayons. Alors dans chaque pièce, brûle ou... fume un poêle à charbon ou à bois. C'est bien agréable aussi, vous savez. On se réunit autour du foyer, on bavarde, on lit son journal, on somnole.

— Comme c'est curieux ! Dans certaines maisons, il n'y a pas de porte d'entrée, mais un long couloir ouvert, à l'extrémité duquel on aperçoit un jardin.

— Oui, certains immeubles ont une porte et un vestibule d'entrée, d'autres un couloir ouvert donnant accès aux appartements.

— Je vois que nous avons beaucoup à apprendre et qu'il nous faudra veiller à ne pas commettre d'impairs sous peine de nous faire mal juger, et par là mal juger les Américaines.

— Bah ! avec un peu de gentillesse, de compréhension, on s'en tire toujours et je suis sûr que vous n'en manquez pas. »

Sur ces entrefaites, les passagers arrivèrent devant un hôtel d'apparence plaisante, situé tout près de la gare. M. Roy descendit pour vérifier si on leur avait réservé les chambres qu'il avait retenues par câble. Au bout de dix minutes, étonnée de ne pas le voir revenir,

Alice alla le rejoindre. Elle le trouva en train de discuter avec le réceptionniste :

« Mais enfin, monsieur, vous avez bien reçu mon télégramme ! »

À bout d'arguments, semble-t-il, l'employé sortit deux clefs et appela un chasseur. Du perron, Alice fit signe à ses amies de venir. Dans l'ascenseur, M. Roy leur dit qu'ils avaient été inscrits sur le registre de l'hôtel sous le nom de Rey au lieu de Roy : d'où une confusion. Le chasseur conduisit les trois amies dans une chambre à une extrémité du couloir tandis que celle de M. Roy était à l'autre.

« Lorsque vous aurez défait vos valises et que vous vous serez bichonnées, dit en riant M. Roy, nous organiserons notre journée. »

La chambre réservée aux jeunes filles fit leurs délices. Grande, très joliment meublée, elle ouvrait sur une salle de bains où d'immenses et moelleuses serviettes de bain firent pousser des exclamations à Bess :

« Elles ont au moins trois mètres ! »

Alice, toujours pratique, se dirigea vers la commode afin d'y ranger ses vêtements. Dans le tiroir du haut, elle vit une feuille de papier.

« Marion ! Bess ! venez ! cria-t-elle. Le mystère nous a précédées ! »

Les deux cousines accoururent et se penchèrent sur ce qui paraissait être un message :

« Qu'est-ce que cela veut dire ? » fit Marion.

Et, à haute voix, elle lut :

« RATHAD DIG GLAS SLAT LONG MALL BEAN BALL GUN AIL.

— Et ces curieux dessins ! » s'exclama à son tour Bess.

À droite, tout en haut, on voyait une cornemuse. En

face, un berceau en forme de bateau. À gauche, dans le bas, une sorte de construction moderne à un étage.

« Allons ! allons ! encore un tour de ton imagination, ma pauvre Alice ! En fait de mystère, c'est tout bonnement un gribouillage d'enfant.

— C'est vrai, approuva Marion, les dessins et l'orthographe ressemblent aux laborieux essais d'un tout petit écolier. »

Alice en tenait pour son mystère, mais elle ne put le dire, car la sonnerie du téléphone lui coupa la parole. C'était l'employé à la réception qui appelait. Il paraissait très ennuyé.

« C'est bien à Mlle Roy que je parle ?

— Oui.

— Mademoiselle, je suis désolé, il y a eu une erreur. Votre chambre avait été retenue par d'autres voyageurs qui veulent celle-là et pas une autre. Je vous envoie un chasseur qui transportera vos bagages dans une chambre au même étage — tout aussi confortable d'ailleurs. »

Alice transmit cette nouvelle aux deux cousines. Bess poussa un soupir.

« Quelle chance que je n'aie pas commencé à défaire ma valise ! Ce qui m'étonne, c'est que, dans un hôtel de cette classe, on commette une erreur pareille. »

Alice ne répondit pas. Elle examinait le papier découvert dans la commode. Elle en enregistra le contenu dans sa mémoire avant de le remettre en place.

« Sait-on jamais ? dit-elle. Il se peut que ce message soit destiné à la personne qui a retenu la chambre et tient tant à l'avoir.

— En ce cas, il s'agirait d'un message chiffré ? demanda Marion.

— Rien d'impossible à cela. »

Le chasseur arriva avec un petit chariot pour enlever les valises. La nouvelle chambre des trois amies se trouvait être encore plus éloignée de celle de M. Roy.

« Faites-moi penser à avertir papa de ce changement », dit Alice aux deux cousines.

Et, se tournant vers le chasseur, elle demanda :

« Serait-ce un certain M. Rey qui a soulevé ces protestations ?

— Oui, mademoiselle. Il s'est mis dans une belle fureur quand il apprit que sa chambre était occupée. La confusion entre les deux noms était pourtant facile !

— Pourquoi faire tout un drame à propos d'une chambre ? Celle-ci vaut l'autre », remarqua Bess.

Alice songeait que ce n'était pas en raison d'une préférence frisant l'enfantillage que le voyageur inconnu s'était mis en colère ; elle ne pouvait s'empêcher de penser à ce bout de papier noirci de figures et de caractères bizarres. Ce M. Rey ne craignait-il pas que les jeunes filles aient pris connaissance d'un message qui lui était sans doute destiné ? Elle décida d'en parler à son père au cours du déjeuner.

« Ta théorie se tient, admit l'avoué après qu'elle la lui eut exposée. Il arrive même que dans les affaires courantes on ait recours à un code particulier pour déjouer la curiosité d'un concurrent. Toutefois, fais attention à ne pas voir des mystères partout, ma chérie ; ce n'est d'ailleurs pas la première fois que je te mets en garde contre cette déformation professionnelle. Rien n'indique que ledit message soit suspect. »

Alice n'était pas convaincue.

« Tu oublies le contenu de la lettre que nous avons si patiemment reconstituée, le commissaire et moi, à River City : “*Roy va déposer une bombe chez vous.*” Ne crois-tu pas que la personne qui avait tenté de nous avertir ait pu confondre Roy et Rey ?

— Ma parole, Alice ! tu es étonnante ! » s’écria Marion, admirative.

Bess se pencha en avant.

« Attention ! il y a un homme qui me semble très intéressé par ce que nous disons. Celui qui est à la table voisine de la nôtre... oui... celui qui est seul. J’ai observé qu’il tendait l’oreille comme s’il ne voulait rien perdre de ce que tu disais, Alice. »

Alice jeta un coup d’œil furtif au curieux. Âgé d’une quarantaine d’années, solidement bâti, il était haut en couleur. Si vite qu’elle l’eût détaillé du regard, cet examen n’échappa pas à l’homme, qui détourna la tête, signa rapidement un chèque pour régler l’addition et quitta la salle à manger.

M. Roy et les trois amies ayant pratiquement terminé leur repas, Alice les pria de l’excuser un moment. Avant que le maître d’hôtel ne soit venu prendre le chèque, elle voulait jeter discrètement un regard sur la signature. L’homme s’était contenté de gribouiller un numéro : celui de la chambre que les jeunes filles avaient été obligées d’abandonner.

Alice s’empressa d’aller faire part de sa découverte à son père et à ses deux amies qui avaient, sur ces entrefaites, gagné le hall.

« Ce doit être M. Rey, dit-elle.

— Alice ! Alice, il me semble que tu conclus un peu trop à la légère. Je suis occupé tout l’après-midi. Que diriez-vous de louer une voiture et d’aller toutes les trois visiter les environs ?

— Avec plaisir, répondit Alice. Que nous conseilles-tu de voir ?

— Pose la question au portier. Mieux que moi, il saura vous indiquer ce qui mérite d'être vu. Il pourra en outre vous donner le nom d'une agence de location, ou se charger lui-même de retenir une voiture. »

Son père parti, Alice gagna la réception. Le portier s'empressa de prendre les dispositions nécessaires.

« Un instant, mademoiselle, je demande une voiture. Avez-vous un permis de conduire international ?

— Oui. »

L'agence à laquelle il s'adressa répondit qu'elle allait immédiatement envoyer une voiture.

« Elle sera là dans une demi-heure, dit le réceptionniste. Connaissez-vous le loch Lomond ? »

En apprenant qu'elles venaient pour la première fois en Écosse, il leur conseilla de ne pas manquer ce site fameux.

« En chemin, vous pourriez vous arrêter à l'université de Glasgow, connue dans le monde entier. Et surtout, emportez des imperméables. Dans notre pays, le temps change très vite. »

Sur une carte, il traça au crayon un itinéraire de l'excursion et tendit ensuite la carte à Alice.

« Bon après-midi ! leur souhaita-t-il. Et n'oubliez pas qu'en Grande-Bretagne, on conduit à gauche. »

Alice le remercia de son obligeance. Une demi-heure plus tard, les trois jeunes filles montaient dans une voiture de location et prenaient la route de l'université. Elles furent vivement impressionnées par les dimensions du parc et par les constructions de pierre grise. Les divers bâtiments, symétriques et flanqués de tours, formaient un ensemble à la fois harmonieux et imposant.

Bientôt, elles sortirent de la ville et roulèrent en direction du loch Lomond. La beauté du paysage arracha des cris d'admiration à la romantique Bess.

« Alice, arrête-toi ! Regarde ces haies. Je voudrais les voir de plus près. Lorsqu'elles sont en fleurs, ce doit être ravissant ! »

Alice ralentit.

« Ce sont des aubépines et des bruyères roses », dit Alice.

Elle passa une vitesse, accéléra. Peu après, Marion remarqua des araucarias, appelés en Amérique « puzzle pour singes », tant leurs branches sont entremêlées.

« Comme leur feuillage est peu abondant, comparé à celui des chênes et des hêtres ! dit-elle.

— À propos de singes, intervint Bess, jusqu'ici la broche de Ned nous a porté chance, ne crois-tu pas ? »

Elles se mirent à rire, mais, tout à coup, le rire se figea sur leurs lèvres.

« Alice, attention ! Cette voiture arrive droit sur nous. Ce doit être un étranger qui la conduit, il a oublié qu'il devait rouler à gauche. »

Alice actionna frénétiquement son klaxon. Le conducteur ne parut pas l'entendre. Si, bien qu'étant dans son droit, elle continuait à tenir sa gauche, l'accident était inévitable. Oui, mais si elle prenait sa droite et qu'au dernier moment l'autre se décidât à passer à gauche...

Bess hurla :

« Il va nous tuer ! »

Chapitre 6

Tempête sur le lac

L'automobile ne paraissait avoir aucune intention de changer de côté.

« Tant pis, j'appuie à gauche ! » dit Alice.

En une fraction de seconde, elle fonça sur une haie et s'arrêta. presque au même moment, l'inconnu redressa sa voiture d'un violent coup de volant à gauche et passa à un cheveu de la voiture des jeunes filles.

« Avez-vous vu ? s'exclama Alice, il a levé sa main droite comme pour cacher son visage.

— C'est un fou ! grommela Marion.

— Pas si fou que cela, puisqu'il a pensé à dissimuler ses traits », rétorqua Bess.

Les mains tremblant encore sous le coup de l'émotion, Alice contemplait, navrée, la haie qu'elle avait involontairement endommagée.

« J'espère qu'il paiera les dégâts », dit-elle enfin.

Elle se retourna et, par la vitre arrière, regarda la maison, qu'elles venaient juste de dépasser. C'était une drôle de construction en pierre avec une entrée voûtée.

Bess et Marion discutaient ensemble de l'accident miraculeusement évité. Marion avait relevé une partie seulement du numéro d'immatriculation : G.B.2.

Ayant enfin retrouvé son calme, Alice se joignit à la conversation. Qui pouvait être ce conducteur dont la maladresse déguisait, lui semblait-il, une intention délibérée ?

« Rappelle-toi le message menaçant qui accompagnait l'échantillon de tissu écossais, dit soudain Bess. Ne serait-ce pas tout bonnement un nouvel attentat dirigé contre toi ?

— C'est fort possible. Car, en y réfléchissant, même si cet automobiliste avait oublié que dans les îles Britanniques on conduit à gauche, mes coups de klaxon répétés auraient dû le lui rappeler. »

À ce moment, la porte de la petite maison de pierre s'ouvrit, et une femme d'environ cinquante ans s'avança au-devant des jeunes filles. Rondelette, le teint vif, les cheveux, qu'elle avait noirs, tirés en arrière et roulés sur la nuque, elle avait une expression austère mais nullement désagréable.

Alice et ses amies descendirent de voiture. Alice se présenta et présenta ensuite Marion et Bess. La femme déclara s'appeler Mme Gilmar.

« Je suis navrée d'avoir involontairement endommagé votre haie », dit Alice.

Et elle narra les circonstances dc l'accident, insistant sur le fait que le conducteur de l'autre voiture avait donné un coup de volant brutal alors qu'elle ne s'y attendait pas. À l'appui de ses dires, elle montra les traces de pneus sur la route.

« Quoi qu'il en soit, je suis prête à payer les dégâts. »

À ces mots, l'expression de la femme s'adoucit.

« Non, non, il ne saurait en être question. Je suis ravie que vous en soyez sorties indemnes. »

Et elle lança une longue tirade sur les automobilistes qui roulaient à une allure folle sur ce tronçon de route.

« Comme si la sorcière de *Tam O'Shanter* était à leurs trousses ! »

Cette remarque fit sourire les jeunes filles.

« Je vais reculer la voiture, proposa Alice : nous pourrons mieux évaluer l'importance des dommages. »

Ils n'étaient pas considérables et Mme Gilmar refusa la moindre compensation.

« Non, je ne veux rien. Vous êtes américaines et vous respectiez le règlement, celui de notre pays. Il ne sera pas dit qu'une Écossaise vous aura laissé supporter les conséquences des fautes d'un autre. »

Bess faillit parler de leurs soupçons à l'égard du conducteur maladroit, mais elle se ravisa et se tut. Alice remercia Mme Gilmar et ajouta :

« Cette conduite à gauche m'a toujours surprise. Savez-vous d'où vient cette habitude ?

— On dit qu'elle remonte au temps des chevaux et des équipages. À cette époque-là, les chemins n'étaient pas sûrs pour les cavaliers, souvent rançonnés et tués par des brigands ; aussi tenaient-ils les rênes de la main gauche et l'épée de la main droite, prêts à se défendre contre toute attaque d'un cavalier venant en sens inverse.

— Brrr ! fit Bess. Je n'aurais pas aimé vivre à cette époque. »

Mme Gilmar eut un sourire.

« Vous savez, ce n'était pas beaucoup plus dangereux de vivre autrefois que de nos jours. Vous venez de vous en apercevoir à vos dépens. »

Les jeunes filles dirent adieu à l'aimable femme et remontèrent en voiture.

La route qu'elles suivaient leur découvrait de très beaux points de vue. De temps à autre, de hauts murs de pierre se dressaient, délimitant de vastes domaines.

« Enfin le lac ! s'écria Marion.

— Le *loch,* corrigea Bess.

— Comme il est beau ! » fit Alice.

Bess soupira :

« Le loch Lomond est aussi beau que les chants et les contes qu'il a inspirés. »

Aussi loin que l'on pouvait voir, une nappe d'eau pure comme le cristal s'étendait entre des collines boisées. De petites îles en parsemaient la surface.

Alice arrêta la voiture près d'une crique dans laquelle se balançaient des maisons flottantes, sortes de pontons sur lesquels on avait construit une maison en bois à un étage. Les jeunes filles descendirent de voiture et longèrent ces curieuses demeures. Elles ressemblaient à de grandes boîtes en carton carrées dans lesquelles on aurait percé des fenêtres et une porte. Toutes étaient uniformément recouvertes d'une peinture blanche. Chacune était amarrée à un petit môle privé.

« Dites-moi, fit Alice, ces curieuses maisons ne vous rappellent-elles pas quelque chose ? Un des dessins tracés sur la feuille laissée dans un tiroir de l'hôtel !

— Tu as raison ! s'exclama Bess. Mais que viendrait faire dans notre mystère une de ces amusantes boîtes flottantes ?

— Tu m'en demandes trop. En tout cas, c'est à retenir. »

Bess leva le nez vers le ciel, si lumineux quelques

secondes plus tôt. De gros nuages cachaient le soleil. Le vent s'était levé.

« Il serait prudent de rentrer, dit-elle. J'aimerais mieux être à l'hôtel qu'ici en pleine tempête. »

Alice était de cet avis ; pourtant, une fois remontée en voiture, elle voulut pousser plus loin. La route longeait le loch. À un endroit, près de la rive, un piédestal se dressait, portant la statue d'un enfant.

« Tiens ! pourquoi l'a-t-on placé ici ?

— J'ai lu dans le guide que, le pauvre petit ayant été noyé précisément à cet endroit, ses parents lui avaient fait ériger une statue en souvenir.

— Comme c'est triste ! »

Le vent soufflait maintenant avec violence et, quand les jeunes filles parvinrent à la petite ville de Luss, Alice décida de regagner Glasgow. La voiture tremblait sous les rafales. Alice avait de la peine à la maintenir sur sa route.

« Vite ! accélère ! implora Bess. Je commence à avoir peur. »

Alice prit de la vitesse. Les jeunes filles atteignirent la crique où les maisons flottantes étaient amarrées. Le vent redoublait de violence. Une véritable tempête se déchaînait. La longue flottille se balançait dangereusement, de grands soubresauts l'agitaient.

« Cela ne me dit plus rien d'habiter dans un de ces bateaux, dit Marion. Par un temps pareil. »

Tout à coup, un vent furieux arriva du loch. Il poussa littéralement la voiture de l'autre côté de la route. Alice freina et parvint à redresser la situation.

Bess et Marion, qui ne quittaient pas du regard la crique, poussèrent un cri.

« Une maison flottante a chaviré ! »

Alice regarda dans la direction du loch. La rafale

avait soulevé le troisième ponton hors de l'eau et l'avait envoyé sur le rivage. L'instant d'après, il basculait. Dominant la tempête, des cris de frayeur s'en échappaient.

Sans penser à leur propre sécurité, les trois amies enfilèrent rapidement leurs imperméables et se coiffèrent d'un suroît.

Ouvrir la portière équivalait à repousser une vague gigantesque, cependant elles y parvinrent et s'avancèrent vers la plage. La pluie tombait en un épais rideau. Le loch n'était plus qu'une étendue d'écume bouillonnante. Dans la crique, secouées comme des coques de noix par les lames qui grossissaient à vue d'œil, de petites embarcations chassaient sur leurs ancres.

Les cris qui s'échappaient du bateau retourné devenaient de seconde en seconde plus impressionnants. Les jeunes filles arriveraient-elles jusqu'aux victimes de cet accident ? Elles se le demandaient avec inquiétude. De la maison flottante voisine, pas le moindre appel, pas la moindre manifestation de vie. Ses occupants étaient-ils absents ou paralysés par la peur ?

Soudain, Bess lança un cri d'alarme.

Marion et Alice se retournèrent et, horrifiées, virent que le vent poussait leur amie vers les eaux furieuses ! Incapable de résister, Bess perdit l'équilibre et tomba dans le lac écumeux qui se referma sur elle.

Chapitre 7

Le donjon

Sans hésiter, Alice et Marion se lancèrent dans l'eau tourbillonnante, mais peu profonde à cet endroit. Deux fois la malheureuse Bess essaya de se remettre debout, deux fois une lame la fit basculer.

Enfin, ses deux amies réussirent à la relever et, se tenant par la main, elles gagnèrent péniblement la rive, où Bess s'effondra.

« Merci... merci... vous m'avez sauvé la vie. Je suffoquais déjà, et les tourbillons allaient m'emporter au large.

— Ne parle pas tant, tu vas te fatiguer, dit Alice. Retourne à la voiture. Nous nous débrouillerons sans toi.

— Non, non, répliqua énergiquement Bess. Je veux, moi aussi, porter secours aux pauvres gens qui sont enfermés dans cette maison. »

À travers la tempête qui faisait rage, elles entendirent un enfant pleurer :

« Maman ! maman ! réveille-toi ! »

Les jeunes filles escaladèrent vivement le flanc couché du ponton. La porte se trouvait sur la face qui reposait maintenant sur le sable. Alice réussit à ouvrir une fenêtre et, se penchant par-dessus l'appui, elle inspecta ce qui était au-dessous d'elle. Meubles et tapis étaient amoncelés sur la paroi opposée, devenue le sol de la maison. Au milieu de ce désordre, une femme était étendue, inerte ; agenouillée à côté d'elle, une petite fille sanglotait.

L'enfant leva les yeux sur Alice.

« Vous venez réveiller maman, n'est-ce pas ? »

Alice se força à sourire. De tout son cœur, elle espérait que la mère de la fillette n'était qu'évanouie.

« Oui, ma chérie, répondit-elle, et, se tournant vers ses amies, elle ajouta : Aidez-moi vite à descendre. »

S'accrochant chacune d'une main au châssis de la fenêtre, prenant de l'autre une main d'Alice, Bess et Marion laissèrent doucement glisser l'intrépide jeune fille.

« Je vais sauter maintenant, vous pouvez lâcher ! » cria-t-elle.

Elle se reçut légèrement sur le bois et courut vers la femme. Un rapide examen lui permit de constater que celle-ci n'était pas grièvement blessée. Aucun signe de fracture ni aux bras ni aux jambes. Sans doute s'était-elle violemment heurté la tête contre la paroi, quand le bateau avait chaviré.

Alice poussa une table sous la fenêtre.

« Venez me rejoindre ! » cria-t-elle à ses amies.

Marion sauta la première sur la table. Alice la reçut. Puis, ensemble, elles aidèrent Bess, que son bain forcé avait fatiguée.

L'enfant pleurait, cachée derrière un gros fauteuil dont les crins s'échappaient par endroits. Bess alla vers elle.

« Comment t'appelles-tu ?

— Isa Muire. Je vous en prie, réveillez maman.

— Oui, nous allons le faire ; sors de ton coin, n'aie pas peur. »

Devant le charmant sourire de Bess, la timidité de la petite se dissipa. Elle courut dans les bras de cette jolie jeune fille qui la regardait avec tant de gentillesse.

« Regardez, dit-elle, tout est sens dessus dessous dans la maison.

— Nous allons tout remettre en place, ne t'inquiète pas. »

Pendant ce temps, Alice et Marion s'efforçaient de faire revenir à elle Mme Muire. Alice lui frictionnait les poignets, la nuque, Marion cherchait un stimulant. Enfin, elle découvrit une bouteille d'alcool camphré qu'elle tint sous le nez de Mme Muire, espérant que l'odeur aiderait celle-ci à reprendre conscience.

Peu après, la pauvre femme porta la main à sa tête et d'une voix faible demanda :

« Qui êtes-vous ? Où suis-je ?

— Maman ! maman ! » s'écria Isa qui se précipita vers elle.

En quelques secondes, le souvenir de la catastrophe revint à Mme Muire.

« Merci ! dit-elle aux jeunes filles. Vous aviez vu l'accident ?

— Oui, répondit Alice. Mes amies et moi, nous étions venues admirer le lac ; hélas ! le temps a changé tout à coup. À présent, la tempête semble apaisée. Pouvons-nous vous emmener chez un voisin ? »

Juste à ce moment, un homme passa la tête par la fenêtre.

« Madame Muire, vous n'avez pas de mal ?

— Un peu. Ces gentilles demoiselles ont proposé de nous aider à sortir d'ici, Isa et moi. »

L'homme tendit les bras par l'ouverture en disant :

« Passez-moi Isa. Ma femme est là, elle en prendra soin. »

Une fois l'enfant en sûreté sur le rivage, les jeunes filles hissèrent Mme Muire sur la table ; puis, se faisant la courte échelle, elles la soulevèrent, le voisin la prit par les mains et, à eux quatre, ils réussirent à la faire sortir de la maison — qui, hélas ! ne flottait plus. Alors, à tour de rôle, les trois amies quittèrent le ponton.

Sur la plage, le petit groupe échangea des présentations. Les secourables voisins s'appelaient M. et Mme Scott. Voyant en quel piteux état se trouvaient les jeunes Américaines, ils les invitèrent à entrer chez eux.

« Avec plaisir ! » répondit Alice avec empressement.

La maison flottante des Scott était bien tenue et confortable. Chaque chose était à sa place. Après s'être lavées et s'être donné un coup de peigne, fort utile d'ailleurs, les jeunes filles s'installèrent devant un bon poêle. Tout à coup, Mme Scott dévisagea intensément Alice.

« Je crois avoir vu votre photo sur la couverture de *Photographie internationale* ! s'exclama-t-elle. Je me disais bien que votre nom m'était familier. Vous êtes la jeune détective américaine dont on vantait les mérites ! »

Alice rougit, non pas à cause du compliment, mais parce qu'elle était navrée d'apprendre ainsi que sa présence en Écosse était connue. « On va me reconnaître partout, maugréa-t-elle intérieurement. Mon ennemi, quel qu'il soit, saura toujours où je suis et se tiendra sur ses gardes ! Comment le démasquer dans ces conditions ? »

« Si vous êtes à court de mystère à élucider, j'en ai un à vous proposer, reprit Mme Scott. Avez-vous remarqué le dernier ponton, celui qui est tout au bout de la crique, un peu à l'écart des autres ? Son nom est peint au-dessus de la porte : *Le Pirate.*

— Non, je ne l'ai pas remarqué. Mais pourquoi ce nom *Le Pirate* sur une paisible maison flottante, et loin des mers ?

— C'est le titre d'un roman de Walter Scott — dont je porte le nom sans pouvoir m'enorgueillir de le compter parmi mes ancêtres, dit en riant la charmante femme. L'action de ce roman se déroule dans la nature grandiose des îles Shetland. Le héros, le pirate Cleveland, aime une belle et noble jeune fille, mais elle le repousse, car elle ne veut pas épouser un bandit. Désespéré, il veut lui prouver qu'il est digne d'elle, et s'engage dans l'armée anglaise. Peu après, il est tué glorieusement !

— Quelle belle histoire ! » fit Bess qui, déjà, se voyait sous les traits de la pure et romantique héroïne.

Alice mit fin à ses rêveries en priant Mme Scott de lui parler de ce ponton, siège d'un mystère.

Mme Scott baissa la voix comme si on pouvait l'entendre de loin :

« Il est habité par de curieux bonshommes qui vont et viennent à n'importe quelle heure et ne fraient avec personne. Les propriétaires du *Pirate* n'y séjournent qu'en été, ils l'ont sans doute loué à ces singuliers individus, dont nous ignorons jusqu'aux noms. Ils circulent surtout de nuit. »

Ces détails éveillèrent l'attention d'Alice.

« À moins que nous ne puissions faire quelque

chose pour Mme Muire et Isa, il serait temps que nous partions. Auparavant, j'aimerais jeter un coup d'œil sur le bateau dont vous me parlez. »

Elle aurait voulu encore poser quelques questions, mais d'autres voisins entrèrent, lui en enlevant la possibilité. Les trois amies dirent au revoir aux Scott et se dirigèrent vers l'extrémité de la crique. Elles s'engagèrent sur une passerelle étroite qui faisait le tour du *Pirate.* D'épais rideaux obscurcissaient les fenêtres. Alice frappa à la porte, pas de réponse ; elle recommença sans plus de succès. Après avoir plusieurs fois contourné le bateau sans rien trouver de suspect, Bess manifesta de l'impatience.

« Partons, je meurs d'envie de prendre un bain chaud et de me changer.

— Ma pauvre Bess ! C'est vrai, après toutes ces émotions et un bain forcé, tu dois être à bout de résistance. En route pour Glasgow ! Nous y serons en quelques minutes, je te le promets.

— Non ! Non ! je t'en prie, pas de performance ! Je préfère arriver plus lentement à bon port, mais sans rien de cassé ! » protesta Bess en riant.

À l'hôtel, le premier souci des trois amies fut de se précipiter dans leur chambre. Bess prit un bain et se changea. Alice décida d'aller voir son père, qu'elle désirait mettre au courant des incidents de l'après-midi. Bess et Marion déclarèrent vouloir se reposer un peu. En longeant le couloir, Alice passa devant la chambre qui leur avait été assignée en premier lieu. Quel ne fut pas son étonnement d'entendre le son d'une cornemuse ! Elle tendit l'oreille. Un inconnu jouait *Scots, wha hae* !

Le joueur était manifestement un débutant, car il ne

cessait de répéter la première phrase de la mélodie, phrase qu'il jouait d'ailleurs fort mal.

« Serait-ce le fameux M. Rey ? » se demanda-t-elle, intriguée.

Sur le message enfermé dans le tiroir de la commode, un dessin reproduisait une cornemuse. Y avait-il un lien entre les deux choses ?

Alice frappa à la porte de son père. « Entrez », répondit une voix bien familière. Ouf ! il était là. Elle pourrait discuter avec lui de ces troublantes coïncidences. M. Roy était plongé dans la lecture d'un journal du soir. Il leva la tête :

« Ma chérie, voilà qui ne va pas te plaire, je le crains. »

Et il lui montra en première page une photo d'elle, reproduction de celle publiée par *Photographie internationale*, et suivie d'un article sur la « jeune détective touriste ».

« Oh ! c'est terrible, papa ! Moi qui ne voulais pas être reconnue. »

Elle lui raconta l'épisode du loch Lomond et la rapidité avec laquelle Mme Scott l'avait identifiée.

« Si cela continue, toute enquête me sera désormais interdite. »

Son père ne lui cacha pas combien tout cela le préoccupait, puis, dans l'espoir de la rasséréner, il ajouta avec un sourire amusé :

« Il ne te manque plus qu'un uniforme et un brassard. Que dirais-tu si je te faisais frapper un bel insigne portant en grosses lettres le mot : *Détective* ! »

Alice éclata de rire. Cet accès de gaieté dura peu, elle fit à son père le récit de la collision dont ses amies et elle avaient failli être victimes sur la route.

M. Roy fronça les sourcils.

« On dirait en effet que l'automobiliste a volontairement tenté de vous faire peur — sinon de provoquer un accident grave. Comment savoir ce qu'il y a derrière ces histoires de voiture, à River City d'abord, ensuite ici ?

— Je suis persuadée, quant à moi, qu'il existe un lien entre ces attentats — appelons les choses par leur nom — et le souvenir de famille perdu. Ne serais-tu pas d'avis d'alerter la police ? »

L'avoué réfléchit un moment, puis déclara que mieux valait attendre.

« Vois-tu, nous n'avons aucune base solide sur laquelle nous appuyer. On ne peut déposer une plainte sur de simples suppositions. Cet après-midi, l'incident s'est passé sans témoins, vous n'avez même pas relevé le numéro complet de la plaque et vous seriez incapables d'identifier le conducteur. Je te propose une chose : allons dîner. À deux pas de l'hôtel, j'ai aperçu un restaurant français. Veux-tu m'y retrouver avec tes amies vers sept heures ? Je vais retenir une table.

— Voilà une idée qui aura l'entière approbation de Bess, la gourmande. Il n'y a rien qu'elle apprécie autant que la cuisine française », répondit Alice en riant.

Le restaurant était très agréable. Un maître d'hôtel, aussi digne qu'attentionné, les conduisit vers la meilleure table. Alice remarqua que le serveur et le petit chasseur lui jetaient des coups d'œil à la dérobée.

Agacée, elle comprit qu'ils l'avaient reconnue. Tandis qu'elle savourait un succulent gâteau à la crème, le chasseur s'approcha et lui tendit une feuille de papier et un crayon.

« Le monsieur, à la seconde table là-bas, souhaiterait avoir un autographe de la jeune demoiselle détective. »

Il ne fallut pas longtemps à Alice pour décider de ne pas accéder à cette requête. Elle n'était pas près d'oublier le nommé Paul qui, à River City, avait payé sa signature un dollar. Elle ne donnerait pas à un autre l'occasion d'utiliser sa signature à des fins plus ou moins malhonnêtes.

Alice regarda dans la direction du « monsieur » et, avec un aimable sourire, fit « non » de la tête.

M. Roy régla l'addition, et les quatre convives quittèrent le restaurant. De retour à l'hôtel, ils montèrent aussitôt à leurs chambres. Dans le couloir, M. Roy dit à Alice :

« Soyez prêtes de bonne heure demain matin ; j'ai retenu le taxi qui nous a amenés ici hier et son plaisant chauffeur, Donald Clark. J'aimerais ne pas arriver trop tard à Édimbourg. L'hôtel nous préparera un repas froid que nous mangerons en cours de route. »

Le lendemain, avant de monter en voiture, Alice s'approcha du bureau de réception et demanda si M. Rey était encore là.

« Non, mademoiselle, répondit l'employé, il a réglé sa note très tôt ce matin et il est parti. »

« Quelque chose me dit que ma route et celle de M. Rey vont encore se croiser ! » conclut Alice en se dirigeant vers le taxi.

Donald était le même joyeux drille que la veille.

« Avez-vous des courses à faire avant de quitter la ville ? demanda l'avoué.

— Si nous ne sommes pas trop pressés, j'aimerais beaucoup visiter une fabrique de cornemuses », dit Alice.

M. Roy répondit qu'il disposait de tout son temps

et que c'était justement pour leur permettre de faire un peu de tourisme qu'il avait voulu partir de bonne heure. Donald les conduisit donc au cœur de Glasgow, ou plutôt de son quartier d'affaires. L'usine dans laquelle il les fit entrer fabriquait non seulement des cornemuses, mais aussi des costumes écossais, ceux que les hommes portent quand ils jouent de cet instrument national dans les défilés. Les visiteuses apprirent avec étonnement que l'on pouvait se procurer dans cette fabrique les tissus écossais aux couleurs de chaque clan, du plus important au plus petit.

« Les femmes jouent rarement de la cornemuse, leur dit l'employé qui leur servait de guide. Mais elles dansent au son des instruments, vêtues de corsages aux vives couleurs et de jupes écossaises.

— Où pourrais-je me procurer un costume écossais féminin ? » s'informa Alice.

L'homme lui donna l'adresse d'un magasin de la ville. Alice se tourna vers son père.

« J'aimerais avoir un costume aux couleurs des Douglas.

— Nous t'en achèterons un en sortant d'ici », répondit l'avoué en souriant de cette fantaisie.

L'employé les conduisit de salle en salle. Il leur montra les outres en peau de mouton, que le cornemuseux remplit d'air et qui servent de soufflerie. Ces outres sont recouvertes de tissu aux couleurs du clan auquel appartient l'instrumentiste.

Ensuite, il leur montra les divers éléments de bois qui composent la cornemuse : le tuyau mélodique à anche de roseau ; la valve placée à la partie supérieure de l'outre et qui permet au joueur de laisser entrer l'air ou de l'empêcher de sortir ; les bourdons, tuyaux qui ne produisent chacun qu'un seul son destiné à former un rudiment d'accord. Ils sont en général au nombre de trois : deux ténors, une basse.

« Qu'est-ce qu'une anche ? » demanda Bess.

L'employé lui montra une mince languette de roseau placée au sommet du tuyau mélodique et lui expliqua que les vibrations de cette languette produisent les sons.

« Tous ces pipeaux, ou chalumeaux, ou encore tuyaux sont en ébène. L'ivoire qui les orne vient des Indes, et les roseaux nous sont fournis par l'Espagne. Les divers éléments sont assemblés par des vis. »

Ce qui intéressa le plus Alice dans toute cette visite fut de voir comment on fendait les roseaux jaune pâle. Elle apprit que cette opération est la plus délicate, car la justesse du son en dépend.

Après avoir remercié l'employé, M. Roy et les trois amies sortirent.

« Ces cornemuses me paraissent vraiment trop compliquées ; je préfère m'en tenir à mon bon vieux piano » : tel fut le commentaire de Bess.

Donald les emmena ensuite dans le magasin dont Alice lui donna l'adresse, et où elle put choisir un costume qui lui seyait à merveille.

« J'ai une folle envie de le mettre, dit-elle à ses amies, mais je ne veux pas attirer l'attention. Ici, les femmes ne sont pas ainsi vêtues. »

Elle en fit la remarque à Donald.

« Dans le Nord de l'Écosse, vous rencontrerez des jeunes filles et jeunes femmes en kilt, lui dit-il. Alors, vous pourrez porter votre nouveau costume sans éveiller la curiosité des passants. »

En chemin, il suggéra à ses passagers de visiter le château de Stirling.

« Il est un peu en dehors de notre route, pourtant je vous conseille d'y aller. Il en vaut la peine ! »

À l'approche de la forteresse, Marion ne put retenir un cri d'admiration. Groupées sur un haut piton, dominant vallées et plaines, se dressaient plusieurs constructions de pierre.

De chaque côté de l'entrée principale se tenait un garde en kilt. Un guide s'avança au-devant de M. Roy et des jeunes filles. Il leur fit monter une avenue pavée, en pente raide, qui aboutissait à une place sur laquelle donnaient les divers corps de bâtiments.

« Le plus petit servait d'hôtel de la monnaie, dit le guide. On y transformait l'argent, provenant des collines avoisinantes, en pièces de bon aloi, frappées aux armes du royaume. Certains prétendent que ce fut là l'origine de la livre sterling. »

Les visiteurs regardaient, fascinés, les appartements somptueusement meublés et celui, plus petit, qui fut habité par l'infortunée Marie Stuart, avant qu'elle ne fût transférée dans une prison anglaise. Le guide se lança dans une série d'histoires d'intrigues, de complots, à vous faire dresser les cheveux et si embrouillées que Marion, Bess et Alice elle-même sentaient la tête leur tourner.

Toutefois, certains noms frappèrent Alice, dont ceux de William Wallace et de Robert Bruce, les héros en l'honneur de qui le poète Burns composa *Scots, wha hae,* rappela-t-elle à ses amies.

Bess, elle, pensait à autre chose. Romantique comme elle l'était, le sort de Marie Stuart l'émouvait profondément.

« Pauvre reine d'Écosse ! Avoir vécu en prison près de vingt ans et être ensuite décapitée ! Quel sort affreux ! »

Le guide leur fit traverser la cour et leur montra un escalier de pierre conduisant aux oubliettes.

« Voulez-vous les visiter ? demanda-t-il.

— Pourquoi pas ? dit M. Roy.

— Vous n'avez pas besoin de moi. Je vous attends ici. »

Les quatre touristes descendirent. Cette prison souterraine était humide et froide. Parvenue tout en bas, Bess frissonna.

« Quelle cruelle époque ! Je ne peux m'empêcher de frémir en songeant à tous ces malheureux jetés ici, alors qu'ils n'avaient commis d'autre crime que celui de ne pas être d'accord avec leurs gouvernants. Remontons ! Cela me rend mélancolique. »

Elle fit demi-tour et grimpa presque en courant le long escalier. Marion et M. Roy la suivirent, à une allure plus raisonnable, toutefois. Le guide se mit à rire à la vue de la mine horrifiée de Bess.

« Impressionnant ! n'est-ce pas ? Les rats ne devaient pas vous y laisser longtemps en paix, dit-il. Mais où est passée la jeune demoiselle détective ? Celle dont on a publié la photo ? »

À ces mots, M. Roy, Bess et Marion se regardèrent, étonnés.

Où était Alice ? Sans doute en train d'examiner quelque recoin plus sombre que les autres !

M. Roy descendit lui rappeler que le taxi attendait et qu'il était en tout cas trop tard pour sauver les malheureux enfermés quelques siècles auparavant entre les pierres humides.

Il revint cinq minutes plus tard. Son sourire amusé s'était mué en une expression soucieuse.

« Elle n'est pas en bas ! annonça-t-il.

— Comment ! s'exclama le guide. C'est impossible, elle n'est pas ressortie par ici et il n'y a pas d'autre issue, nous en sommes sûrs et certains : vous pensez bien que, depuis le temps, le moindre recoin, la moindre fissure a fait l'objet d'inspections minutieuses ! »

Affolés, M. Roy, Bess et Marion dégringolèrent plutôt qu'ils ne descendirent les marches. L'obscurité les enveloppa de nouveau. Qu'était-il advenu d'Alice ?

Chapitre 8

Un aveu

Le guide lui-même commençait à se tourmenter. S'avançant sur la première marche, il cria aux trois touristes de l'attendre.

« Il faut que je vous dise quelque chose. Je me rappelle un incident auquel, sur le moment, je n'ai pas prêté attention, mais qui a peut-être une signification qui m'échappe. »

Il les rejoignit et poursuivit :

« Un autre touriste est descendu dans le cul-de-basse-fosse après vous. Il marmonnait entre ses dents des phrases qui me parurent dénuées de sens... Pourvu qu'il n'ait pas enfermé la demoiselle dans le cachot où l'on mourait par asphyxie !

— Quoi ! » s'exclamèrent avec effroi l'avoué et les deux cousines.

Le guide leur expliqua que la première cellule dans laquelle ils avaient pénétré comportait un petit cachot, sorte de recoin où, dans les temps anciens, on faisait périr par suffocation les prisonniers en sept minutes. Il suffisait d'en obturer l'ouverture avec une grande pierre, posée à côté.

Guide et touristes se précipitèrent dans la cellule. La grande pierre gisait encore à terre. Alice n'était nulle part en vue.

M. Roy poussa un profond soupir de soulagement.

« Dieu soit loué ! Alice nous aura sans doute précédés sans que nous ne nous en soyons aperçus ; elle est tout bonnement en train d'admirer un quelconque détail d'architecture ! »

Tandis qu'ils remontaient le triste escalier dont tant de malheureux en proie au plus atroce des désespoirs avaient usé les marches, le guide leur dit qu'il s'était absenté cinq à six minutes de l'endroit où il était supposé les attendre. Comme ils émergeaient en plein air, ils virent Alice à quelques mètres de la porte d'entrée. Le guide se porta au-devant d'un autre groupe de touristes.

« Alice ! comment as-tu pu nous faire une peur pareille ! protesta Bess. Où étais-tu ?

— Lorsque vous étiez à l'extrémité du souterrain, je me suis éloignée un peu et j'ai vu un homme descendre l'escalier. C'était l'homme aux autographes... oui... le fameux Paul...

— En es-tu certaine ? demanda Marion, incrédule.

— Sûre et certaine ! En me voyant, il a fait demi-tour et s'est mis à courir comme s'il avait le Diable à ses trousses. Bien entendu, je me suis lancée à sa poursuite. Hélas ! il m'a été impossible de le rattraper. La porte d'entrée franchie, il a sauté dans une voiture qui ressemblait fort à celle qui a failli heurter la nôtre sur la route du loch Lomond. Elle a démarré à une allure folle ; j'ai pu cependant voir que le conducteur n'était autre que celui que nous connaissons sous le nom de Rey.

— Tiens ! Tiens ! Ils seraient complices, alors, dit

Marion. Ce qu'ils mijotent, ces deux-là, ne doit pas être joli, joli ! En tout cas, cela intéresse les Roy d'une manière ou d'une autre. »

Bess ne disait mot ; elle regardait Alice avec de grands yeux effrayés. Enfin, elle lui raconta ce que le guide leur avait dit à propos de la chambre de suffocation et ajouta :

« Ce Paul t'aurait volontiers poussée dans le cachot de suffocation s'il en avait connu l'existence !

— Inutile de te monter la tête à présent. Dis-moi plutôt pourquoi, selon toi, il s'est aventuré dans ce donjon, nous sachant là. Il courait le risque de se faire surprendre, et c'est d'ailleurs ce qui est arrivé.

— Je pense plutôt qu'il avait mission d'épier nos propos afin de connaître notre prochaine destination. Il n'avait aucune raison de penser que je me séparerais de vous et comptait se glisser de cachot en cachot. La voix porte admirablement dans ce sinistre endroit. Sa surprise évidente en me voyant confirmerait mon hypothèse. »

M. Roy fit observer qu'en effet leurs ennemis semblaient être à l'affût de leurs moindres faits et gestes.

« Tes soupçons en ce qui concerne mon presque homonyme me paraissent fondés. Vous ayant entendues toutes les trois bavarder dans votre chambre, il aura suivi la voiture de Donald. Je vous conseille vivement de ne parler entre vous qu'à voix basse. »

M. Roy demanda ensuite à Alice si elle avait relevé le numéro de la voiture dans laquelle était monté ledit Paul.

« Oui, répondit-elle. Un garde, de faction à l'entrée, m'a autorisée à téléphoner aussitôt à la police. Après vérification, on m'a répondu que c'était le numéro d'une automobile de louage et que, sans doute, les hommes qui l'occupaient ne tarderaient pas à l'abandonner dans un endroit isolé si, comme je le prétendais, ils n'avaient pas la conscience tranquille.

— Chaque fois que nous croyons mettre la main sur les misérables qui ont démoli ta voiture, déposé une bombe dans ta boîte aux lettres, failli nous tuer sur la route, pouf !... ils s'envolent en fumée ! s'exclama Marion.

— Tu aurais pu appeler les gardes à la rescousse et faire arrêter Paul X...

— En territoire étranger ? Sans mandat d'amener et en l'absence de toute preuve. Allons, tu rêves, Bess !

— C'est vrai, j'oubliais que nous ne sommes pas à River City. »

Déçus, impressionnés, car il n'est pas agréable de se savoir épié, M. Roy et les trois jeunes filles remontèrent dans le taxi. Ils ne firent aucune allusion à cet épisode devant Donald et bientôt, gagnés par la bonne humeur inaltérable du joyeux drille, par ses propos empreints d'humour, ils se détendirent et purent jouir pleinement de la promenade. Après avoir roulé une bonne heure, Donald arrêta la voiture près d'un ruisseau qui chantait en cascadant sur son lit de pierres.

« L'endroit rêvé pour un déjeuner en plein air ! » approuva Bess.

Ils s'assirent tous les cinq sur l'herbe et se régalèrent de l'excellent repas froid préparé par le cuisinier de l'hôtel.

« Connaissez-vous l'histoire de cette petite ville d'Écosse où tout le monde portait le même nom de famille ? demanda Donald.

— Quelle blague ! s'exclama Bess.

— Non, je ne plaisante pas du tout. Ils s'appelaient tous Mackenzie, mais chacun s'était vu attribuer un surnom. Certains étaient fort drôles. Voyant un jour un des leurs descendre du clocher à l'aide de cordes, les habitants le baptisèrent "le Singe". Le pharmacien fut surnommé "Clystère", le barbier "Coupetifs", le médecin "Pilules".... et ainsi de suite. Cela donnait Mackenzie le Singe, Mackenzie le Clystère, Mackenzie le Coupetifs. J'ai oublié les plus pittoresques. »

Cette anecdote amusa les auditeurs de l'intarissable chauffeur.

Le pique-nique terminé, les restes furent remis dans le carton, destiné à être jeté ensuite. Après la ville de Falkirk, Donald tourna à l'est en direction de Firth of Forth. Ce golfe splendide traversé par un immense pont métallique sert d'estuaire au Forth, large fleuve d'Écosse.

À Bo'ness, Donald s'arrêta devant une grande plaque brune scellée dans le flanc de la colline. Elle portait une inscription en latin.

« C'est un mur romain, dit Donald, il couvrait plus de quarante kilomètres, d'ici à la Clyde. Ce mur mesurait quatre mètres de haut et, du côté de l'assaillant, une profonde tranchée empêchait les soldats d'en tenter l'escalade. »

Alice s'efforça de déchiffrer les caractères. Elle parvint à apprendre que ce mur avait été construit sous le règne de l'empereur Antonin le Pieux.

« Oh ! assez ! dit Bess. Il me semble que, depuis ce matin, je n'entends parler que de guerre, de sang versé, de tortures, toutes plus horribles les unes que les autres. Cela tourne au cauchemar. »

Donald la regarda avec compréhension.

« Allons-nous-en, et je vous promets de ne plus vous raconter d'histoires tragiques jusqu'à ce soir.

— Merci ! » soupira Bess dont le visage s'éclaira.

Ils reprirent la route d'Édimbourg.

« Avez-vous entendu parler de cet officier de marine qui reçut l'ordre d'amarrer son navire au Forth Bridge ? »

Aucun des passagers ne connaissait l'anecdote, Donald la raconta :

« Mal prononcé, Forth devient Fourth, autrement dit "quatrième". Or, l'ordre écrit portait *Fourth*. Le malheureux officier comprit donc qu'il s'agissait du quatrième pont et il fit la navette sur le fleuve. Finalement il lança un message radio au ministre de la Marine : "Où est le quatrième pont ? Je n'en ai trouvé qu'un." Il ne risquait guère d'en trouver d'autres ! Voilà ce que c'est que de ne pas apprendre la géographie. S'il l'avait mieux étudiée, il n'aurait pas commis une aussi stupide erreur.

— En effet ! » dit Alice en riant de bon cœur.

Donald continua de les amuser par des historiettes qui témoignaient de l'humour propre à ceux de son pays, humour qui n'épargnait ni les étrangers ni eux-mêmes.

Bientôt, toutefois, la densité de la circulation le contraignit au silence. Ils étaient arrivés dans Édimbourg, à l'heure où usines et bureaux dégorgeaient employés et ouvriers. Les rues étaient encombrées de véhicules et de piétons.

La beauté des édifices, la propreté des rues firent l'admiration des jeunes Américaines.

« Quelle belle ville ! » murmura Alice.

Donald enfila l'avenue centrale, bordée d'un côté par des magasins aux alléchantes vitrines, de l'autre par un parc ; perché sur la colline, l'imposant château d'Édimbourg dominait ville et fleuve.

L'hôtel dans lequel descendirent les quatre voyageurs était proche de la vaste gare du chemin de fer. Ce fut avec un vif regret qu'ils se séparèrent de Donald, qui avait animé paysage, architecture, et leur avait fait prendre contact avec l'Écosse et son folklore.

« Merci ! merci ! Grâce à vous, ce voyage a été un véritable enchantement », dit Alice en lui serrant la main.

Ses amies exprimèrent la même gratitude.

« Cela a été un plaisir pour moi, affirma Donald avec un bon sourire. Je vous souhaite joie et bonheur. »

Et, après un dernier salut de la main, il s'éloigna. M. Roy et les jeunes filles pénétrèrent dans le hall de l'hôtel où leur fut aussitôt servi un thé chaud et odorant.

« Exactement ce dont j'avais envie après cette longue randonnée », dit Bess en couvrant d'un tendre regard d'appétissantes pâtisseries disposées sur la table roulante.

Pendant que les trois amies faisaient honneur aux gâteaux, M. Roy remplit les fiches et fit monter les valises dans leurs chambres. La demi-heure suivante fut consacrée à siroter du thé et à se détendre.

Enfin, la voix de Marion s'éleva, moqueuse :

« Monsieur, dit-elle à M. Roy, nous ne serons que trois à dîner ce soir.

— Comment cela ?

— Oui, Bess a déjà dîné.

— C'est ce que tu t'imagines, riposta sa cousine. Tu te trompes, ma belle ! Dans deux heures, je serai prête à dévorer tout un festin. »

Alice éclata de rire.

« Bess ! Bess ! tu te vantes et tu oublies ta ligne ! »

Riant et plaisantant, les trois amies gagnèrent leur chambre. Juste comme elles y entraient, la sonnerie du téléphone grésilla.

« Mademoiselle Roy ? demanda la standardiste. J'ai un appel des États-Unis pour vous. Un moment, s'il vous plaît. »

Quelques secondes plus tard, une voix d'homme résonnait à son oreille.

« Oh ! Ned ! » s'écria Alice, tout heureuse.

Bess et Marion échangèrent de petits clins d'œil entendus. Elles aimaient beaucoup taquiner Alice sur son amitié avec Ned.

« L'inspecteur Nickerson adresse son rapport à son chef, le détective Roy, reprit Ned. Voici les dernières nouvelles. J'ai mis la main sur le reporter de *L'Écho du soir* qui a écrit l'article sur toi. Il a fini par m'avouer qu'il avait été mis au courant de tes projets par un certain Paul. Après quelques recherches, j'ai découvert le nom complet dudit individu : Paul Petrie.

— Bravo ! tu es un as ! Et qui est ce Petrie ?

— Il demeure à River City. Jamais il n'a eu de démêlés avec la police qui, pourtant, se méfie de lui. On ne peut lui reprocher que l'émission de chèques sans provision, aussitôt couverts cependant.

— Tu as accompli un beau travail d'enquêteur, dit Alice.

— Attends d'avoir entendu la suite ! J'ai identifié l'auteur du message t'avertissant qu'une bombe serait déposée chez toi ! »

Chapitre 9

Une filature importune

Ned lui raconta comment il avait découvert cette personne :

« Après avoir longuement médité sur le calque que tu m'avais confié, j'ai conclu que ce message avait été écrit par une femme. Je t'ai souvent parlé du professeur Webster, d'Emerson. Après avoir longtemps enseigné l'archéologie, il s'est intéressé à la graphologie. À plusieurs reprises, nous avons ensemble discuté de cette science qui permet de déterminer le caractère d'après la forme des lettres.

— Oui, et je me souviens qu'au sortir d'une de ces discussions, tu m'as dit qu'une écriture verticale, hardie, dénotait une personnalité littéraire, un peu cassante, qu'une écriture inclinée vers la droite était une marque de nervosité.

— C'est cela. L'écriture en question me semblait appartenir à une personne timide, maternelle, plus toute jeune, sans doute. La qualité du papier employé indiquait qu'elle vivait dans un quartier habité par des gens de revenu modeste. J'ai donc parcouru marchés et boutiques en tenant l'œil ouvert.

— Et tu prétends avoir trouvé l'auteur du fameux message en t'y prenant de cette manière ?

— Parfaitement, mademoiselle, répondit en riant Ned. J'avais pris soin d'emmener un jeune cousin. Chaque fois qu'une femme répondant au portrait que je m'en faisais s'approchait de la caisse, nous nous mettions à parler bombes et nous guettions ses réactions. Enfin, un beau jour, dans un supermarché, nous avons vu une cliente sursauter et nous regarder, inquiète. Aussitôt, sans lui laisser le temps de se reprendre, je l'ai abordée et j'ai parlé du message. Elle a reconnu l'avoir glissé dans ta boîte aux lettres.

— Ned ! tu es un génie ! s'exclama Alice, dont l'enthousiasme atteignit son comble. Continue, je t'en prie.

— Cette femme, Mme Morrison, gère un petit hôtel meublé. Il y en a plusieurs dans la même rue. De nombreuses personnes vont et viennent sans cesse. Un jour, en fermant une fenêtre qui donne sur une contre-allée, elle a surpris les propos qu'échangeaient deux hommes. L'un d'eux disait à son compagnon qu'il avait reçu de "M. Rey" l'ordre de faire sauter à la bombe la jeune détective et son père.

— Mme Morrison a-t-elle entendu autre chose ?

— Rien, si ce n'est cette précision : "C'est un avoué." Mme Morrison s'est légèrement penchée par la fenêtre afin de mieux entendre, mais les deux hommes se sont éloignés. Ignorant si c'était sérieux ou non, elle n'a pas osé alerter la police. Elle s'est informée discrètement autour d'elle sur une jeune détective dont le père serait avoué et elle a ainsi appris l'existence d'une certaine Alice Roy. Ce qui ne fit que l'embrouiller davantage. Elle se demanda si une longue querelle de famille n'opposerait pas les Roy les

uns aux autres. Finalement, elle prit la décision d'écrire cette lettre anonyme. C'est elle qui la glissa dans la boîte, sonna et s'enfuit aussitôt après. »

Alice couvrit Ned de louanges. Elle lui narra quelques-unes de leurs aventures en Écosse et lui parla du nommé Rey.

« En fait, elle a confondu Roy et Rey. Il est vrai que les deux noms prêtent à confusion, hélas ! »

Marion et Bess, qui avaient entendu les réponses d'Alice à son lointain correspondant, bouillaient d'impatience. Elles voulaient tout savoir. Enfin, Alice raccrocha l'appareil et satisfit leur curiosité.

« À dîner, je vais prier papa d'alerter la police ; nous possédons suffisamment d'indices et le commissaire tiendra à protéger des étrangers.

— Tu feras bien ! approuva Marion. Quand je pense que cet horrible M. Rey cherche à te tuer !

— Mais pourquoi recourrait-il à une telle extrémité ? interrogea Bess. C'est assumer un très gros risque.

— Il doit être le chef d'une redoutable bande, dit Alice, et il ne veut pas que papa et moi nous nous mettions en travers de ses activités. Étant donné que Petrie est venu de River City jusqu'ici et qu'il est de connivence avec Rey, il s'agit vraisemblablement d'une affaire de contrebande.

— Nous voilà plongées jusqu'au cou dans un joli petit mystère, soupira Bess. Être mêlée à des contrebandiers, des poseurs de bombes et autres personnages du même acabit ne me réjouit guère ! »

Cette remarque fit rire Marion et Alice. Une dizaine de minutes plus tard, M. Roy frappa à la porte des jeunes filles et tous descendirent à la salle à manger. Alice résuma à son père ce que lui avait dit Ned.

M. Roy fut, lui aussi, d'avis de prévenir la police — ce qu'Alice s'empressa de faire sitôt le repas terminé. Le commissaire promit de mettre Rey en surveillance et de l'arrêter à la première occasion aux fins d'interrogatoire.

Le lendemain matin, M. Roy, Alice, Bess et Marion se rendirent à l'église. De retour à l'hôtel, Alice appela le commissariat.

« Nous n'avons aucune nouvelle de ce Rey, lui fut-il répondu, mais votre information concernant la maison flottante, *Le Pirate,* nous a paru intéressante. Nous avons vérifié, il semblerait que vos soupçons fussent justifiés. Malheureusement, les occupants avaient vidé les lieux peu avant l'arrivée de nos inspecteurs. Leurs voisins nous ont appris qu'ils avaient chargé des caisses de grandes dimensions à bord d'un camion, garé sur la rive. Toutefois, ils ont veillé à garder l'apparence d'honnêtes gens, car, sur la table, ils avaient laissé une somme d'argent avec un billet dactylographié portant ces mots : *Pour la location du "Pirate".* »

L'officier donna encore quelques détails à Alice, puis ajouta :

« Dommage que nous soyons arrivés trop tard. Nous avons alerté les différents postes de police d'Écosse. Rey ne saurait tarder à être pris, ainsi que son ami Paul Petrie. »

Le lendemain matin, l'avoué ayant une entrevue au sujet du domaine Douglas, les jeunes filles décidèrent de visiter le château d'Édimbourg. Un taxi les transporta au haut de la colline à pic que dominait la forteresse.

De chaque côté de l'entrée, un soldat : l'un, coiffé du bonnet de Glengurry, d'où pendaient deux longs rubans, arborait le kilt et la tunique boutonnée ; l'autre portait un pantalon écossais aux couleurs de son régiment. Les deux hommes sourirent aux jeunes filles qui franchissaient allégrement la grande voûte de pierre donnant accès à la cour intérieure.

Dans le château, elles admirèrent d'anciennes armures, des uniformes. Mais Alice s'étonna de ne pas voir de kilts. Un gardien à qui elle en faisait la remarque lui apprit qu'après la révolte jacobite de 1745, le jeune prince Charles, prétendant au trône, s'était réfugié en France et que, sous la domination des Hanovre, le kilt avait été interdit.

« Cette interdiction avait pour dessein de faire oublier aux Écossais leurs querelles de clans et de leur faire également passer le goût de la rébellion. Ce n'est que sous le règne de George III que la coutume fut remise en vigueur. »

Bess, qui avait suivi la conversation, dit avec conviction :

« Et il est fort heureux que cette coutume ait été rétablie. C'est si joli, ces kilts de toutes les couleurs ! »

Après avoir visité le vaste château, Alice et ses amies se rendirent à la petite chapelle Sainte-Marguerite. Elles apprirent que tout membre des forces armées britanniques peut s'y marier, quelle que soit la religion à laquelle il appartient.

« Voilà qui est bien ! murmura Bess, rêveuse.

— Et maintenant, où allons-nous ? » demanda Marion.

Alice désigna la rue qui descendait vers Holyrood Palace.

« On l'appelle le "Royal Mile" et elle est bordée de monuments célèbres dans le monde entier. Prenons-la. »

À quelques mètres se dressait la cathédrale Saint-Gilles. Les trois amies allèrent droit à la petite chapelle, dite « chapelle des chevaliers du Chardon », l'ordre de chevalerie le plus élevé en Écosse.

De hauts sièges étroits, admirablement sculptés, étaient disposés côte à côte. Au-dessus de chacun d'eux, le blason d'une famille, surmonté de dais et d'armures.

« J'imagine tous ces preux gentilshommes, ces grands seigneurs réunis solennellement ici pour y discuter du destin de l'Écosse, dit Bess que l'évocation de tant de gloire rendait songeuse.

— Bess, incurable romantique ! jeta Marion. Tu aurais dû vivre au Moyen Âge. Je te vois, coiffée d'un hennin, errant pâle et solitaire dans la tour de quelque redoutable forteresse où ton père, homme rude et cruel, te séquestrerait. Un gent chevalier, ayant entendu tes soupirs portés par l'alizé compatissant, t'enlèverait et sur ton corsage épinglerait une broche ornée de chardons — emblème national. »

Les trois amies pénétrèrent ensuite dans la nef de la cathédrale. Au centre, se dressait la chaire ; au-dessous, sur quatre côtés, des rangées de bancs lui faisaient face. Alice feuilleta le guide qu'elle avait pris la précaution d'emporter et lut ce qui était écrit à ce sujet.

« Il est dit, résuma-t-elle à l'intention de ses compagnes, qu'une femme porte la responsabilité d'avoir déclenché la guerre civile de 1637. À cette époque-là, il n'y avait pas de bancs dans l'église, chaque membre de la congrégation apportait son tabouret. Un jour, une certaine Jenny Geddes, exaspérée par le sermon de l'évêque — dont les vues politiques ne concordaient pas avec les siennes —, envoya son tabouret à la tête du digne ecclésiastique. Il en résulta un beau tumulte qui dégénéra en querelles religieuses ; bientôt, toute l'Écosse en fut déchirée.

— En tout cas, cette Jenny ne manquait pas de courage ! » fit Marion.

En ressortant de l'église, Alice proposa à ses amies d'aller voir un peu plus loin la maison de John Knox, le réformateur, orateur de grand talent. Elles se rendirent dans un petit immeuble de trois étages, gravirent un escalier extérieur et passèrent en revue les étagères contenant les lettres, les livres, les sermons écrits par Knox, ainsi que des gravures de l'époque.

« Tiens ! il signait son nom en latin ! » s'étonna Bess.

Ses amies regardèrent. Au bas de certaines feuilles s'étalaient en caractères hardis ces deux mots : *Johannes Cnoxus* !

Marion lut deux ou trois passages de ses sermons et conclut :

« C'était peut-être un bon prédicateur, mais je ne me vois pas assise pendant deux heures à écouter de semblables tirades ! »

Quand elles se retrouvèrent dans la rue, Bess déclara qu'elle mourait de faim. Elles déjeunèrent dans un modeste restaurant proche de Saint-Gilles. Ensuite, elles se remirent à déambuler le long du Royal Mile en bavardant.

Tout à coup, Marion murmura à ses compagnes :

« Ne vous retournez pas, j'ai l'impression que nous sommes suivies. »

Feignant de contempler un détail d'architecture, Alice jeta un coup d'œil à la dérobée derrière elle. Elle vit un homme brun, portant favoris et barbe en pointe. Il était vêtu d'un kilt et d'une veste bleu marine.

« Il me rappelle quelqu'un, dit-elle à Marion. Qui ? Je n'en sais rien.

— Faisons demi-tour et marchons droit sur lui, on verra bien quelle sera sa réaction. »

Elles firent une brusque volte-face. Au moment de les croiser, l'inconnu détourna la tête et poursuivit son chemin ; mais, quelques mètres plus loin, il fit, lui aussi, demi-tour et se remit à les suivre.

« Traversons la chaussée et repartons en direction d'Holyrood », décida Alice.

À peine avaient-elles posé le pied sur le trottoir d'en face que l'homme à la barbe en pointe traversait la rue et reprenait sa silencieuse filature.

Marion fit la grimace et, toujours hardie, soumit à Alice l'idée qui venait de lui traverser l'esprit :

« Si tu crois le reconnaître sans parvenir à mettre un nom sur son visage, c'est sans doute parce qu'il porte un déguisement. J'ai bien envie de vérifier si cette barbiche d'un autre âge est vraie. »

Chapitre 10

Message en gaélique

« Marion ! Je t'en prie, tu ne vas quand même pas lui arracher la barbe, qu'elle soit postiche ou non ! protesta Bess.

— Si tu t'imagines que je n'oserais pas, tu te trompes, ma chère cousine ! répliqua Marion. Si c'est un ennemi d'Alice, j'entends le démasquer coûte que coûte.

— Merci, Marion, dit Alice avec un sourire. Mais n'oublie pas que nous sommes en pays étranger. La réputation des Américaines est engagée, on aurait tôt fait de nous reprocher de créer des incidents. J'ai une autre idée. Séparons-nous et retrouvons-nous à Holyrood. L'homme à la barbiche en pointe ne pourra quand même pas se dédoubler.

— Plan approuvé, décréta Bess. Puisque vous êtes toutes les deux persuadées qu'il te suit. Marion et moi, nous allons le suivre. »

Alice approuva la tactique.

« Je vais longer encore quelques mètres cette rue avec Marion, puis elle feindra de contempler une vitrine et emboîtera le pas à notre inconnu sitôt qu'il l'aura dépassée. Toi, Bess, dans le cas où il traverserait, fais-en autant et vois de quel côté il se dirige. »

Le plan fonctionna à merveille, jusqu'au moment où Bess approcha des bâtiments qui composent le palais de justice. Alors, sans que rien l'eût fait prévoir, l'inconnu traversa la chaussée et s'engouffra dans l'un des bâtiments.

Le cœur de Bess se mit à battre plus fort. Elle prit une profonde inspiration, comme pour puiser du courage en elle-même, et courut après lui.

Un gardien lui barra la porte d'entrée.

« Votre laissez-passer ?

— Je n'en ai pas.

— En ce cas, mille regrets, mademoiselle, je ne peux pas vous autoriser à pénétrer. Les visites sont interdites aujourd'hui. »

Bess rougit jusqu'aux oreilles.

« Je voulais rejoindre le monsieur barbu qui vient juste d'entrer. »

Le gardien la dévisagea d'un air soupçonneux, puis, sèchement, il déclara :

« J'ignore tout de ce monsieur, si ce n'est qu'il m'a présenté un laissez-passer. »

Navrée, Bess s'éloigna. Elle attendit quelques minutes ; l'homme ne réapparut pas. Que faire ? Pourquoi cet homme suivait-il les jeunes filles s'il avait à faire là où il allait ? Et s'il n'avait rien à faire au palais de justice, en vertu de quoi possédait-il un laissez-passer ?

Déçue des piètres résultats obtenus, elle poursuivit sa route vers Holyrood, où elle retrouva ses amies.

« Eh bien ? interrogea Marion, voyant la mine penaude de sa cousine. Aucun succès ? »

Bess hocha la tête et leur raconta ce qui s'était passé.

« Si cet homme est un malfaiteur, comment a-t-il obtenu un laissez-passer permanent ?

— Selon moi, il l'a falsifié ou l'a subtilisé à quelqu'un afin d'être prêt à toute éventualité », dit Marion.

Alice se torturait l'esprit : qui donc lui rappelait cet homme ? Ne pouvant trouver la réponse à cette question, elle proposa à ses amies de visiter le palais de Holyrood.

Bâti en 1128 pour servir d'abbaye, ce palais de pierre d'un brun rougeâtre est encore intact. Il est entouré d'un grand jardin défendu par une haute grille à fers de lance.

Un guide les promena à travers la somptueuse demeure, dont chaque pièce est meublée avec un goût raffiné. Les jeune filles apprirent qu'un vaste appartement est réservé à la famille royale d'Angleterre, lorsqu'elle vient à Édimbourg.

En pénétrant dans l'immense salle à manger, Bess ne put se contenir plus longtemps :

« Imagine-toi, Alice, dînant avec ton mari à un bout de cette table et toi à l'autre. À une telle distance, vous ne pourriez même pas avoir de conversation. »

Le guide sourit, amusé. Il leur raconta un épisode des nombreuses querelles qui devaient aboutir à la réunion de l'Angleterre et de l'Écosse sous le même roi, en 1603.

« Cette réunion des deux couronnes s'accomplit après la mort d'Élisabeth Ire, reine d'Angleterre. À cette époque, Jacques VI, fils de l'infortunée Marie Stuart, régnait sur l'Écosse. Seul héritier d'Élisabeth, il devint Jacques Ier d'Angleterre et d'Écosse.

— Vous voulez dire qu'il gouvernait les deux pays ? demanda Bess dont les connaissances en histoire étaient assez sommaires.

— Oui. Et son enfance avait été fertile en incidents. Un jour, par exemple, alors qu'il était encore au maillot, sa mère, qui était catholique, le fit descendre dans un panier de la fenêtre d'une haute tour, afin d'empêcher ses ennemis de le faire baptiser selon les rites de la religion réformée. Dangereuse équipée pour un nourrisson.

— Pauvre petit ! dit Bess, prompte à s'émouvoir.

— Bah ! il ne s'en est pas mal tiré, puisqu'il est devenu roi des deux pays », répliqua Marion.

Le guide les ramena enfin dans la cour d'entrée. Après l'avoir remercié, elles prirent un taxi qui, en quelques minutes, les ramena à leur hôtel. Dans le hall, elles furent accueillies par M. Roy, qui venait de terminer ses affaires. Ensemble, ils prirent le thé.

L'avoué réclama un compte rendu de la journée et fronça les sourcils en apprenant qu'un inconnu avait suivi les jeunes filles.

« Si, d'aventure, il recommence, j'espère que vous découvrirez qui il est.

— Promis ! » dit fermement Alice.

M. Roy fit à son tour le résumé de son après-midi. Il se déclara satisfait des résultats obtenus, mais ajouta qu'il devrait prolonger quelque peu son séjour dans la ville.

« Que diriez-vous de me précéder toutes trois au château des Douglas ? Cet après-midi, chez un de mes confrères, j'ai fait la connaissance d'une charmante jeune fille, originaire de l'île de Skye. Au cours de la conversation, j'ai appris qu'elle s'apprêtait à regagner son île, mais souhaitait le faire en voiture. Je suis certain qu'elle vous plaira, aussi l'ai-je invitée à dîner ce soir. Si, comme je le pense, vous vous entendez avec elle, elle pourra vous servir de guide dans la région d'Inverness. Vous savoir avec elle me rassurerait. Elle s'appelle Fiona Mac Guire et connaît à merveille toute l'Écosse. »

M. Roy ne s'était pas trompé. Les trois amies sympathisèrent tout de suite avec Fiona. C'était une ravissante jeune fille souple et élancée, au teint chaud, aux cheveux d'un brun lumineux, aux yeux bleus, à l'expression ouverte et riante.

« N'est-ce pas votre portrait que j'ai vu sur la couverture de *Photographie internationale* ? demanda-t-elle à Alice.

— Je le crains, hélas ! Cette malencontreuse photo m'a fait une fâcheuse publicité. »

Et elle raconta à la jeune Écossaise ses récentes tribulations.

« La province d'Inverness est peu peuplée, j'espère que vos ennemis vous y laisseront en paix. »

Le dîner se passa très joyeusement. Au dessert, l'amitié régnait déjà. Il fut convenu que le lendemain matin elles loueraient une voiture et se rendraient ensemble à Douglas.

Ne voulant pas prendre Fiona en traître, Alice la mit au courant de leurs projets. L'objectif réel de ce voyage était de résoudre un difficile problème policier, lui dit-elle.

« Voilà qui me plaît, répondit la jeune Écossaise en riant. J'aime ce qui me sort du petit traintrain quotidien. »

À ce moment, une jeune femme passa tout contre leur table, adressa un gracieux salut de la main à

Fiona et lui dit quelques mots en un langage que les trois amies ne comprirent pas.

« Elle s'exprimait en gaélique, dit Fiona.

— Le parlez-vous bien ? demanda Alice.

— Oh ! oui, couramment.

— Je vous demanderai de m'en apprendre quelques mots pendant le trajet, dit Alice.

— Commençons tout de suite, si vous voulez. »

Et, prenant un petit pain sur une assiette, elle dit :

— Ceci est un *aran* que l'on prononce "arrrann".

— C'est-à-dire "pain" ?

— Oui. Demain, nous monterons à bord d'un *lo-ang*, qui s'écrit "long" et qui signifie "navire". En fait, nous embarquerons sur un bac. »

Alice ne tenait plus en place. Elle venait de se rappeler que le message mystérieux trouvé dans le tiroir contenait le mot *long*.

« Fiona, le mot *mall* est-il gaélique ?

— Oui, on le prononce "mâ-ool" et il veut dire "lent". »

Alice ouvrit son sac, en sortit son carnet de notes et transcrivit les mots qu'elle avait enregistrés dans sa mémoire. Elle soumit ce texte à Fiona qui traduisit :

« Grande — route — fossé — loch — navire — lent — femme — membre — sans — estampille. »

Marion poussa un grognement.

« Ce message est aussi incompréhensible en anglais qu'en gaélique !

— Je suis persuadée, dit Alice, qu'il est libellé en code. "Navire lent" pourrait désigner *Le Pirate* du loch Lomond, celui qu'habitaient de louches inconnus.

— Tu as raison, approuva Marion. Le message était destiné à M. Rey ; il voulait peut-être dire que, si Alice Roy faisait son apparition, les occupants de la maison flottante devraient déménager aussitôt avec armes et bagages.

— C'est possible, dit M. Roy, surtout si les caisses qu'ils ont emportées contenaient des objets volés. »

Alice ajouta que la traduction de ce message renforçait son hypothèse selon laquelle leurs ennemis feraient partie d'une bande de contrebandiers internationaux.

« Je suis convaincue que le conducteur qui a essayé de me faire verser dans le fossé était M. Rey. Sa tentative ayant échoué, il aura averti ses hommes de filer au plus vite.

— Ce message en gaélique est peut-être le fil qui nous conduira à la découverte de ces tristes individus », conclut pensivement M. Roy.

Chapitre 11

Plongeon imprévu

M. Roy et les quatre jeunes filles étudièrent longuement le singulier message en gaélique. Fiona fit remarquer que son auteur ne semblait pas très familiarisé avec ce langage. Il s'était contenté d'employer quelques mots isolés pour transmettre ses ordres.

« Si je vous comprends bien, il se serait servi d'un dictionnaire, mais ne connaîtrait pas le gaélique, dit Alice.

— Exactement.

— "Femme-membre-sans-estampille" ne signifierait-il pas qu'une femme est impliquée dans l'affaire ? Par exemple, une étrangère qui se serait introduite en fraude dans le pays ? »

C'était Marion qui venait de parler. M. Roy posa sur elle un regard admiratif.

« Bravo pour cette déduction. Si elle est juste, méfiez-vous de toute femme qui tenterait de se mettre en travers de votre route, d'une manière ou d'une autre.

— Je ne vais pas me laisser devancer par Bess et par Marion dans ce petit jeu des devinettes, fit Alice, feignant d'être vexée. Les deux mots "grande route — fossé" signifient sans doute que Rey devait, si possible, me pousser dans un fossé.

— Ce qu'il a fait ! » intervint Bess.

Après avoir encore bavardé sur ce sujet, les cinq convives quittèrent la salle à manger. Fiona prit congé de ses hôtes en leur promettant de venir les retrouver le lendemain sitôt après le petit déjeuner.

« Vous êtes trop gentilles de m'emmener, je ferai de mon mieux pour vous rendre ce voyage attrayant », dit-elle.

Le lendemain matin, à l'heure dite, Fiona attendait ses nouvelles amies dans le hall de l'hôtel. Devant la porte, une voiture de louage était rangée. C'était un petit cabriolet sport à quatre places. M. Roy signa les formulaires que lui présenta le conducteur, qui partit aussitôt après. Un porteur casa adroitement dans la malle arrière les valises et les sacs des jeunes filles, puis Alice embrassa tendrement son père et se glissa au volant.

« En route ! s'écria Bess. La journée s'annonce très belle. »

Fiona les fit sortir de la ville, traverser le Firth of Forth et prendre la direction de Fort William, au nord-ouest d'Édimbourg.

« Êtes-vous contente de rentrer chez vous, dans l'île de Skye ? demanda Bess à la jeune Écossaise.

— Certes oui, dit Fiona avec un sourire. J'espère que vous viendrez m'y rendre visite avant de regagner l'Amérique. Vous verrez, elle est splendide, mon île, et je vous raconterai son histoire et ses légendes.

— Commencez maintenant, je vous en prie, fit Alice. Je ne connais même pas le nom des endroits les plus célèbres de cette île.

— Eh bien, il y a Borreraig et son célèbre collège de cornemuseux où venaient se perfectionner les meilleurs joueurs de cornemuse de la haute Écosse. »

En disant cela, les yeux de Fiona étincelaient de fierté.

« Un collège... pour enseigner à jouer de la cornemuse ? s'étonna Marion.

— Oui. De nombreux collèges de ce genre existaient autrefois ; celui de Borreraig peut s'enorgueillir d'avoir formé pendant plus de deux cents ans les générations successives de Mac Crimmons, le clan qui se vantait, non sans raison, de posséder les meilleurs joueurs de cornemuse du monde entier.

— N'est-ce pas merveilleux de songer que cet instrument que nous associons à votre beau pays a un si long passé ! remarqua Alice tout en conduisant le long de petites routes bordées de haies.

— Oui, et ce que vous ignorez peut-être, c'est que son histoire ne se limite pas aux frontières de l'Écosse, ou de la Bretagne. Sous la forme rudimentaire d'un tuyau mélodique et d'un bourdon, on jouait de cet instrument dans l'ancienne Égypte. Ce n'est que plus tard qu'on y adjoignit le sac à vent.

— Comme c'est drôle ! fit Bess. Imaginez un peu Toutankhamon jouant de la cornemuse ! »

Fiona se laissa gagner par l'hilarité générale.

« Et pourquoi pas Aristote et Jules César pendant que nous y sommes ! Car les Grecs et les Romains connaissaient eux aussi la cornemuse. Ensuite, l'instrument se répandit dans toute l'Europe par l'intermédiaire des invasions celtiques et romaines.

— Si telle est son histoire, pourquoi associons-nous toujours Écosse et cornemuse ? demanda Marion.

— Sans doute parce que, si l'on joue encore de cet

instrument dans quelques régions d'Europe, ce n'est guère qu'en Écosse qu'il a pris rang de musique nationale. En haute Écosse, la cornemuse est inséparable de l'histoire du pays. Nous aimons le chant martial de nos chalumeaux et de nos bourdons, il redonne courage et vigueur aux soldats épuisés par de longues marches dans les bruyères. Les chefs de nos clans sont fiers de leurs sonneurs de cornemuse, c'est à qui se targuera d'avoir le meilleur.

— Fiona, vous avez beau enchanter mon imagination, mon estomac réclame », fit Bess d'une petite voix plaintive.

Cette déclaration de la gourmande provoqua les railleries de ses compagnes. Toutefois, compatissante, Fiona annonça qu'à dix minutes environ, il y avait un club de golf avec restaurant, où elles pourraient déjeuner dans une ambiance agréable.

Après avoir savouré un succulent repas, les amies reprirent la route. Pendant plusieurs kilomètres, elles traversèrent des collines, les unes boisées, les autres couvertes de hautes bruyères. Dans les pâturages paissaient des moutons qui erraient à leur gré sur la route ou dévalaient les pentes. Enfin, Alice atteignit le bord d'un étroit cours d'eau. Fiona leur apprit que c'était un bras du loch Leven.

« Dans le petit village de Ballahulish, nous allons prendre un bac qui nous transportera dans la province d'Inverness. Si nous suivions la route, ce serait beaucoup plus long, car elle contourne ce bras. »

Elles arrivèrent les premières à l'embarcadère. Peu après, d'autres véhicules vinrent se placer derrière leur voiture et le bac apparut à l'horizon.

C'était la première fois que les jeunes Américaines voyaient un bateau de ce genre : petit et plat, il ne comportait qu'un seul pont, à l'arrière duquel une minuscule cabine tenait lieu de poste de pilotage. Fixée au pont, derrière la cabine, une plaque tournante prolongée par de grandes passerelles levées permettait aux voitures d'embarquer sur une rive et de débarquer sur l'autre.

En raison de la force du courant, le bac vint s'amarrer le long de la jetée. Lentement, la plaque tournante vira de manière à se placer dans l'axe du pont. La passerelle la plus proche de la jetée s'abaissa, et les voitures descendirent à terre. Quand toutes eurent quitté le bac, un homme fit signe à Alice de monter à bord. Trois voitures suivirent la sienne, puis la passerelle se releva, la plaque tournante décrivit un quart de cercle et le petit navire reprit sa route.

« Comme c'est bon ! » soupira Bess, dont les cheveux flottaient dans la brise.

La traversée du loch n'était pas longue. En abordant sur la rive d'en face, la plaque tournante vira de nouveau, la passerelle s'abaissa, et un marin fit signe à Alice de débarquer sa voiture. Elle monta un chemin pavé qui longeait l'eau. Pas la moindre protection côté loch, d'où émergeaient des roseaux et des herbes prises dans la vase.

« Attention ! » cria Bess.

Alice jeta un coup d'œil dans le rétroviseur. juste le temps de voir... l'inconnu à la barbiche en pointe ! Quinze centimètres à peine séparaient les pare-chocs de leurs voitures. Avant qu'elle ait pu réagir, l'homme démarra brutalement, heurta avec force le cabriolet et prit la fuite.

Les trois passagères furent catapultées en l'air ; accrochée au volant, Alice parvint à rester à sa place.

La voiture plongea, capot en avant, dans un mètre cinquante d'eau.

Des cris se firent entendre. Les spectateurs bondirent hors de leurs voitures, ou accoururent du petit embarcadère, et se portèrent au secours des jeunes filles. Trempées, couvertes de vase de la tête aux pieds, Bess, Marion et Fiona gagnèrent le rivage en pataugeant. Mouillée jusqu'à la taille, Alice, elle, se tenait debout sur la banquette avant.

« Attendez-moi, petite, j'arrive ! » cria un homme.

Prestement, il enleva souliers, chaussettes, releva les jambes de son pantalon jusqu'aux genoux et sauta dans l'eau. Il atteignit en moins de cinq minutes Alice, dont la main tremblait encore quand il la prit dans la sienne.

« Merci, merci beaucoup, monsieur, dit-elle. Comment allons-nous tirer la voiture de là ?

— Certainement pas en la conduisant, dit-il avec un bon rire. Ne vous tourmentez pas, il n'est pas lourd, votre cabriolet ; en s'y mettant à plusieurs, on en viendra bien à bout. J'irai chercher deux ou trois copains et nous le remonterons sur le quai.

— Comme vous êtes gentil ! Mais ne serait-il pas plus simple de faire appel à une dépanneuse ?

— Oui, vous avez peut-être raison. »

Tout en parlant, il avait ramené Alice sur la rive.

Pendant ce temps, les amies d'Alice fulminaient contre l'auteur de cet accident.

« C'est l'homme à la barbiche qui l'a provoqué ! » décréta Bess.

À ce moment, une femme d'âge mûr s'avança vers elle. Avec un sourire affable, elle se présenta :

« Je m'appelle Mme Drummond. Quelle chance que vous n'ayez pas été blessées ! Ma petite métairie est proche d'ici, de l'autre côté de la montagne que vous voyez là-bas et qui se nomme Ben Nevis ; j'habite seule et serais très heureuse de vous accueillir chez moi jusqu'à ce que votre voiture soit remise en état de marche. »

Les jeunes filles remercièrent vivement l'aimable femme.

« Pour ma part, dit Bess, je serais ravie d'accepter votre invitation, mais permettez que nous demandions son avis à notre amie Alice — celle qu'on ramène sur la rive. »

Rassurés sur le sort des victimes de la collision, les automobilistes avaient regagné leurs voitures et leur colonne s'ébranlait. Marion se plaça à la sortie de la jetée et leur demanda à tour de rôle s'ils connaissaient l'homme qui avait poussé leur cabriolet hors du chemin pavé, ou s'ils avaient relevé le numéro de sa plaque. Sous l'effet de l'émotion causée par l'accident, nul n'avait prêté attention ni à l'homme ni à sa voiture.

« Comment ai-je pu ne pas remarquer ce misérable sur le bac ? » se reprochait amèrement la pauvre Marion.

Ce reproche, elles se l'adressaient toutes les trois. Absorbées par la nouveauté du spectacle, la beauté des collines pourpres qui se reflétaient dans les eaux noires du loch, elles avaient omis de rester sur leurs gardes, ainsi que M. Roy le leur avait tant recommandé.

Alice rejoignit le groupe de ses amies et, en apprenant la si gentille proposition de Mme Drummond, elle s'empressa de l'accepter.

Mme Drummond dévisageait Alice depuis quelques instants. Enfin, elle se tourna vers Fiona et lui murmura à l'oreille des mots en gaélique ; Fiona sourit et dit à Alice que Mme Drummond voulait savoir si elle ne serait pas la jeune détective américaine dont le portrait avait paru en première page d'une revue.

Alice se mit à rire :

« Jamais je n'aurais cru qu'on pût me reconnaître dans un aussi piteux état ! »

Sur ces entrefaites, le dépanneur arriva et, sans trop de peine, il sortit le cabriolet du loch. Le coffre étant heureusement étanche, les valises n'avaient pas trop souffert. L'homme qui avait secouru Alice les chargea dans la voiture de Mme Drummond où, déjà, la jeune fille et ses amies s'étaient installées. Puis Mme Drummond démarra.

La petite métairie annoncée était plaisante et spacieuse. Elle comportait une salle de séjour et plusieurs chambres. Tout ce qui faisait le charme de l'ancienne demeure avait été conservé : sa grande cheminée de pierre, avec la crémaillère et le chaudron, les bancs rustiques en bois, le lit clos, joliment transformé en divan, et jusqu'à un berceau d'enfant sculpté dans le noyer.

« Comme c'est joli ! » s'extasia Bess.

Mme Drummond conduisit les jeunes filles dans les deux chambres qu'elle mettait à leur disposition ; chacune comportait un immense lit à baldaquin ; draperies, rideaux et tapis étaient de riantes couleurs. Alice s'installa dans l'une d'elles avec Fiona. Les deux cousines prirent l'autre.

Le temps qu'elles passèrent à se baigner et à se vêtir de robes propres, Mme Drummond l'employa à cuisiner un repas substantiel. Elle servit à ses jeunes invitées une soupe aux poireaux et pommes de terre, une poule au pot, du ragoût de mouton aux navets et un délicieux pudding au pain et aux raisins, arrosé de crème anglaise.

« Hummm ! fit Bess, qui plus encore que ses amies savait apprécier la bonne chère. Je serais incapable de manger davantage, ne serait-ce qu'une cuillerée de cette crème, onctueuse à souhait.

— Pourtant, il faut que vous goûtiez mes *doddies* », insista Mme Drummond en apportant une coupe de boules brunes et collantes.

Les quatre amies ne purent résister et trouvèrent ce dessert succulent.

Elles aidèrent ensuite leur hôtesse à desservir. La vaisselle essuyée et rangée, elles s'installèrent devant un bon feu et devisèrent gaiement. Bientôt, la fatigue se faisant sentir, le sommeil s'empara d'elles. Mme Drummond s'en aperçut et les envoya se coucher. Au bout de leurs lits, sous les couvertures, elles remarquèrent une bosse.

« Ce sont des cruchons que l'on utilise en haute Écosse », expliqua Fiona à ses amies.

Alice se glissa avec délices entre les draps et se blottit frileusement sous les couvertures.

« Comme on est bien ! » murmura-t-elle.

Elle dormit profondément jusqu'à minuit. Soudain, le son d'une cornemuse l'éveilla. Elle tendit l'oreille et reconnut la première phrase de *Scots, wha hae*. La musique venait d'assez loin.

« Quelle drôle d'idée de jouer de la cornemuse en pleine nuit — et pas très bien, d'ailleurs ! » songea-t-elle.

En un éclair, sa pensée se reporta à Rey et à ses piètres essais à la cornemuse là-bas, dans la chambre de l'hôtel de Glasgow.

« Je vais aller voir ce qu'il en est », décida la jeune

fille en entendant de nouveau la même phrase musicale.

Elle s'habilla, quitta la chambre à pas de loup et sortit dans l'enclos qui entourait la maison. La lune avait peine à percer la brume épaisse qui enveloppait le paysage. À en juger par le son, le joueur nocturne devait se tenir sur une colline à quelque distance, pensa Alice.

Elle s'assit sur un banc contre la façade de la métairie, attentive au moindre bruit. Au bout de quelques minutes, elle perçut le vrombissement d'un moteur de camion, qui roulait très vite sur la route en direction de la métairie. Quand le véhicule, couvert, passa contre l'enclos, Alice entendit distinctement un bêlement plaintif, semblable à celui d'un agneau.

Un agneau ! Des moutons ! Des camions ! Ces mots ne résumaient-ils pas l'histoire que Ned avait racontée à Alice au sujet des voleurs qui décimeraient les troupeaux d'Écosse ?

Le camion appartiendrait-il à cette bande ?

Chapitre 12

Un coup de sifflet nocturne

Alice se précipita vers la route et fit l'impossible pour voir la marque du camion et déchiffrer son numéro. Mais la pâle clarté de la lune ne le lui permit pas. Tout à coup, un bruit de pas la fit sursauter ; deux silhouettes accouraient.

Bess et Marion.

« Alice, tu es insupportable ! protesta Bess. Il est impossible de te lâcher une minute sans que tu te livres à quelque fantaisie. En voilà une idée de sortir en pleine nuit. Nous t'avons entendue quitter ta chambre... puis plus rien. »

Ainsi gourmandée, Alice s'expliqua.

« Des moutons volés ! » fit Marion.

Au même moment, un coup de sifflet déchira l'air. Il fut suivi de plusieurs autres, séparés par des intervalles différents.

« Qu'est-ce que cela signifie ? interrogea Bess.

— Je crois que l'on peut produire ce son avec une cornemuse, répondit Alice.

— Tiens ! voilà qui m'étonne !

— Et je suppose que tu vas nous dire qu'il

s'agit d'un signal mystérieux ? ajouta Marion, taquine.

— Je voudrais bien le savoir, répondit Alice. Allons nous recoucher, nous ne pouvons rien faire à cette heure. »

Ni Mme Drummond ni Fiona ne s'étaient réveillées. Alice, le lendemain matin, leur raconta ce qu'elle avait surpris. Fiona confirma qu'en fendant le roseau d'un chalumeau on pouvait émettre n'importe quel son.

« Toutefois, je me demande qui se donnerait un tel mal pour n'émettre que des sifflements, car c'est une opération très délicate. »

Alice ne répondit pas. Elle était persuadée que celui qui avait pris cette peine avait une bonne raison pour le faire. Et elle jura de la découvrir.

Que le camion transportât des moutons volés, cette éventualité inquiéta beaucoup Mme Drummond. Sur-le-champ, elle téléphona à plusieurs voisins et leur communiqua les soupçons d'Alice.

« Les bergers vont dénombrer leurs troupeaux, dit-elle ensuite aux jeunes filles. Voulez-vous aller voir ?

— Je crois bien ! dit Alice avec empressement. Ne devrait-on pas aussi prévenir la police ?

— Oui, mais sans grand espoir. Les voleurs sont comme la foudre ; ils frappent rarement deux fois au même endroit. En outre, nous n'avons pas suffisamment de renseignements à fournir ; il leur sera impossible d'identifier le camion. Que pourraient tenter les autorités sur d'aussi maigres indices ?

— De plus, Alice, tu n'as entendu qu'un seul agneau bêler, ajouta Marion. Qui te dit qu'il y en avait d'autres ? »

Force fut à Alice de se rendre à l'évidence. On ne

pouvait pas faire grand-chose, sinon recenser les troupeaux.

Le déjeuner terminé, Mme Drummond indiqua aux jeunes filles la direction à suivre pour trouver les bergers et leurs chiens. Après avoir marché quelque temps à flanc de colline, elles aperçurent un berger en tenue de chasseur ; près de lui, un chien noir et blanc allait et venait inlassablement. Il ramenait auprès de son maître les moutons errants.

Ce spectacle fascinait les jeunes citadines américaines. Elles ne se lassaient pas de regarder les brebis et leurs agneaux. À un moment donné, une brebis entêtée voulut empêcher son agneau d'obéir au chien. Ils étaient adorables tous les deux, surtout l'agnelet avec sa toison blanche et frisée, ses sabots et le bout de son nez noir, un vrai santon. Enfin, le chien parvint à conduire mère et petit au berger.

Bess demanda à Fiona pourquoi les moutons portaient une petite croix peinte en rouge sur leur queue.

« C'est la marque distinctive de ce troupeau, chaque troupeau a la sienne. »

Elles bavardèrent un peu avec le berger qui vanta les prouesses de son chien.

« C'est le meilleur gardien de la région, il a gagné plusieurs concours. Il faut le voir ramener une bête que je lui désigne parmi toutes les autres ; jamais il ne se trompe. Voulez-vous le voir à l'œuvre ?

— Oh ! oui, s'il vous plaît ! » répondirent en chœur les jeunes filles.

Il les pria de s'éloigner de quelques pas. L'oreille dressée, le nez au vent, le collie attendait. Le berger pénétra jusqu'au centre du troupeau, posa la main sur la tête d'un mouton et, tranquillement, rejoignit les trois amies.

« Trixie, amène ce mouton ! » ordonna-t-il.

Le chien partit comme une flèche, se fraya un chemin parmi les bêtes, poussant doucement les unes, mordillant les pattes des plus obstinées, puis il s'en prit à la brebis désignée qui, au petit galop, courut se réfugier auprès du berger.

Toute la manœuvre n'avait pas pris une minute.

« C'est merveilleux ! » s'écria Alice avec une admiration qui ne devait rien à la politesse.

Comme elle s'extasiait devant la beauté de la brebis à la longue toison, elle se sentit brusquement tirée par la veste.

Baissant les yeux, elle vit l'animal mâchonner avec délices un bouton ! Riant de bon cœur, Alice le lui arracha.

« Il ne te reste plus qu'à le recoudre ! dit Bess, amusée par la scène.

— Ces diables de moutons, il faut qu'ils goûtent à tout. Ils ont de ces inventions à ne pas croire ! » remarqua le berger.

Les jeunes filles le remercièrent de leur avoir donné une preuve aussi convaincante de l'habileté de son chien et se hâtèrent de regagner la petite métairie. Mme Drummond leur apprit qu'au cours de la nuit, un nombre assez considérable de moutons avaient disparu dans les pâturages environnants.

« Un nombre considérable, dites-vous ? répéta Bess. Pourtant, Alice, le camion que tu as vu ne pouvait en contenir beaucoup ! »

Sur ce point la jeune détective avait une théorie personnelle assez osée.

« Je pense qu'ils n'étaient pas debout, mais qu'on les avait empilés les uns sur les autres après les avoir endormis. Il existe toutes sortes de gaz soporifiques, que l'on projette à l'aide d'un revolver d'un type spécial. L'agneau que j'ai entendu bêler venait sans doute de se réveiller.

— Quelle cruauté ! s'exclama Bess. Si tu dis vrai, ces hommes sont de véritables monstres et de dangereux adversaires. »

Mme Drummond eut un soupire pensif.

« Les voleurs sont en général dépourvus de sensibilité, vous savez », dit-elle.

Et, après une seconde de réflexion, s'adressant à Alice, elle ajouta :

« Votre idée n'est pas si folle que cela, ma petite amie, et j'estime que vous devriez la communiquer aux inspecteurs de la police.

— Ils penseront peut-être que je cherche midi à quatorze heures. Mieux vaut, je crois, attendre d'avoir une preuve plus tangible de ce que j'avance. »

La sonnerie du téléphone retentit dans le vestibule. Mme Drummond alla répondre. Elle revint peu après en disant :

« J'aurais bien aimé vous garder plus longtemps. Vous redonnez un peu de jeunesse et de gaieté à ma vieille maison, mais votre voiture est prête, le mécanicien vient de me l'annoncer. Sitôt que vous aurez rangé vos affaires, je vous conduirai au garage.

— Merci beaucoup, madame. Nous aussi, nous aimerions passer quelques jours auprès de vous, mais il nous est impossible de nous attarder ici. Mon arrière-grand-mère nous attend. Si vous le permettez, nous allons vous aider à mettre un peu d'ordre dans votre maison que notre arrivée imprévue a désorganisée, je le crains, puis nous partirons. »

Au moment de prendre congé, Alice, très gênée, comprit que leur aimable hôtesse n'accepterait pas un sou en échange de la nourriture donnée, ni du logement qu'elle avait mis à leur disposition. Le garagiste eut la même attitude. Dans leur fierté, les Écossais ne pouvaient admettre que de jeunes étrangères eussent à supporter les conséquences d'une maladresse — ou pire encore — commise par un de leurs compatriotes.

« Cela suffit déjà que vous ayez pris un bain forcé, grommela le garagiste. Ce serait le comble s'il fallait encore que vous le payiez ! »

Et il éclata d'un bon rire, auquel se joignirent les quatre victimes de ce plongeon inopiné.

Alice s'apprêtait à insister, Fiona lui toucha le bras et lui murmura à l'oreille :

« Je vous en prie, n'ajoutez pas un mot, vous risqueriez de les froisser irrémédiablement. »

Mme Drummond embrassa Alice.

« Si vous élucidez le mystère qui plane sur nos troupeaux, ce sera votre plus beau remerciement. »

Les jeunes filles montèrent dans la voiture, propre et reluisante ; après un dernier adieu, elles partirent en direction de Fort William, qu'elles atteignirent bientôt. Elles visitèrent cette jolie ville aux quais pittoresques, ville où l'histoire a laissé maintes traces. Ensuite, à la pressante demande de Bess, elles déjeunèrent, fort bien d'ailleurs, car la cuisine écossaise est à bon droit réputée.

Au début de l'après-midi, Fiona entraîna ses amies dans un musée. Elles purent y contempler des objets divers, mais ce fut un portrait, sans doute unique en son genre, qui retint leur attention.

Sur une table était posée une petite peinture à l'huile de forme ronde, qui ne ressemblait à rien si ce n'est à une succession de taches de diverses couleurs. Au centre, une sorte de miroir cylindrique. Les jeunes filles se penchèrent pour regarder dedans et virent un beau jeune homme en costume du XVIIIe siècle.

« C'est le jeune prétendant, leur dit Fiona. Notre célèbre et bien-aimé prince Charles, petit-fils de Jacques II, fils du vieux prétendant, qui mourut en France où il s'était exilé à la suite de sanglants revers. En 1745, le jeune Charles revint en Écosse, rassembla sous sa bannière les habitants de la haute Écosse. Battu à Culloden, il fut contraint de se cacher dans les hautes bruyères de nos collines.

« Nombreux étaient ceux de ses partisans qui souhaitaient encore sa victoire. L'un d'eux, une femme nommée Flora MacDonald, lui fit revêtir ses atours féminins ; ce déguisement lui permit de tromper la vigilance de ses adversaires et de regagner sain et sauf la France.

— Quel roman que cette aventure ! et comme il est beau ! » s'extasia Bess.

Fiona pouffa de rire.

« Oui, mais nos manuels d'histoire, moins romanesques, nous apprennent qu'il ne se maria qu'à cinquante-deux ans.

— Mieux vaut tard que jamais », répliqua Bess que l'on n'arrachait pas si facilement à ses rêves.

En sortant du musée, Fiona dit à ses amies que le moment était venu de se séparer. Les jeunes Américaines allaient prendre la route de Douglas, tandis qu'elle poursuivrait son voyage jusqu'à l'île de Skye. Cette nouvelle suscita les violentes protestations d'Alice et des deux cousines.

« Rien d'urgent ne vous appelle chez vous ; pourquoi ne continueriez-vous pas votre rôle de guide auprès de nous ? suggéra Alice. Vous me seriez d'une aide précieuse dans notre enquête.

— En ce cas, j'accepte volontiers et je serai très heureuse de faire la connaissance de votre arrière-grand-mère, Alice.

— Et moi de vous garder un peu plus longtemps. »

Le cœur d'Alice se mit à battre plus vite à la pensée d'embrasser bientôt cette extraordinaire aïeule, dont on lui avait tant parlé !

Chapitre 13

Une surprenante nouvelle

Les quatre jeunes filles remontèrent en voiture et, au sortir de la ville, s'engagèrent dans une petite route qui serpentait sur les collines. L'étroitesse de la voie inquiétait Bess.

« Que ferions-nous si une autre voiture arrivait en sens inverse ? » demanda-t-elle.

Elle redoutait un accident semblable à celui qui leur était arrivé sur la route de Glasgow au loch Lomond.

Quelques secondes plus tard, Fiona lui montra du geste un espace dégagé sur l'accotement.

« On rencontre sur toutes les routes d'Écosse ce genre de garage qui permet aux voitures de se croiser sans mal. »

Rassurée, Bess s'absorba de nouveau dans la contemplation du splendide paysage qui se déroulait sous leurs yeux.

« Comme cette fleur est jolie ! Quel est son nom ? dit-elle en désignant une plante à fleurs jaunes.

— Ce sont des ajoncs, répondit Fiona. Ils fleurissent tout au long de l'année. On prétend chez nous que, quand les ajoncs cesseront de fleurir, les enfants cesseront de sourire. »

Ce dicton plut beaucoup aux jeunes Américaines, de plus en plus prises par le charme de l'Écosse.

Vers quatre heures, Fiona leur annonça qu'elles approchaient du domaine Douglas. La voiture gravit, sans trop de peine, une colline très en pente, formant plateau au sommet. À l'extrémité de ce plateau, elles entrevirent les nombreuses cheminées d'une résidence seigneuriale. Devant elles, s'étalaient de vastes pelouses, de hauts sycomores, des bouleaux, des hêtres.

Un jardin, joliment dessiné, entourait le château. Les parterres étaient en fleurs. De hauts sapins se miraient dans un petit étang.

« J'ai l'impression de vivre un rêve, murmura Bess. Alice, pourquoi ton père et toi ne venez-vous pas vivre ici, auprès de ton arrière-grand-mère ?

— C'est très joli à cette époque-ci de l'année, intervint Fiona, mais, en hiver, c'est bien désolé lorsque le vent hurle, que l'air est humide, et les arbres sont dépouillés.

— Et cependant vous aimez votre pays ?

— Oui, et je ne voudrais pas vivre ailleurs qu'en Écosse. Pour vous, ce serait différent. Quand on n'est pas habitué à son aspect sauvage, il arrive qu'une grande tristesse s'empare de vous, une mélancolie liée à la nature rude, mélancolie douce cependant. »

Alice arrêta la voiture devant l'entrée principale de la grande demeure de pierre grise. Intriguée par le nombre de petites fenêtres, Bess se mit à les compter. Elle en était arrivée au chiffre trente quand un maître d'hôtel ouvrit la porte.

« Bonjour, mesdemoiselles, j'espère que vous avez fait bon voyage. Veuillez entrer. »

Il les conduisit dans un salon très haut de plafond.

« Je vais vous annoncer à Lady Douglas. »

Toutes les descriptions du château qu'Alice avait entendues depuis son enfance étaient très au-dessous de la réalité. Jamais la jeune fille n'aurait imaginé une telle splendeur. Elle ne se lassait pas d'admirer les précieux tapis d'Orient, le mobilier où se mariaient avec un goût parfait les armoires, bureaux et bahuts de chêne admirablement sculptés et les légères tables et chaises à dorures de style français.

Deux énormes lampes japonaises, finement décorées, étaient posées sur de jolis supports et, au fond de la pièce, une tapisserie recouvrait toute une paroi. Elle représentait une jeune femme, vêtue d'une robe flottante, coiffée d'une capeline ; debout sur la haute terrasse d'un château, elle regardait deux chevaliers joutant l'un contre l'autre.

« Quelle époque merveilleuse ! » murmura Bess, qui ne trouvait plus que ce mot pour exprimer son admiration croissante.

Quelques minutes plus tard, le maître d'hôtel revint et pria les jeunes filles de le suivre : Lady Douglas les recevrait dans ses appartements. Elles montèrent un escalier recouvert d'un tapis moelleux et parvinrent à un palier qui avait les dimensions d'une vaste pièce.

Les murs étaient littéralement tapissés de portraits, sans doute ceux des ancêtres des Douglas actuels. Toujours guidées par le maître d'hôtel, les quatre amies arrivèrent dans le petit salon de Lady Douglas ; moins solennel que la salle de réception du rez-de-chaussée, il était agréablement meublé et plus riant. Le maître d'hôtel s'avança et annonça les visiteuses.

« Merci, John », dit une voix musicale.

Alice entra, assez émue de voir, pour la première

fois, son arrière-grand-mère. C'était une frêle et mince vieille dame à cheveux blancs. Elle avait encore grande allure. Son visage avait conservé sa beauté malgré les rides fines qui le sillonnaient.

Alice fit une petite révérence en disant :

« Lady Douglas, quel honneur pour moi d'être ici ! »

La vieille dame se leva et sourit :

« Ma chérie, inutile d'employer des formules de politesse d'un autre âge. Je suis ton arrière-grand-mère, appelle-moi Grannie, ce sera plus simple et plus gentil. »

Alice rosit de plaisir. Aïeule et petite-fille s'embrassèrent tendrement. Ensuite la jeune fille se tourna vers ses amies et les présenta l'une après l'autre. Elles reçurent un accueil chaleureux. Lady Douglas dit à Fiona qu'elle serait très heureuse de la recevoir chez elle. Leur désignant des chaises, aux coussins de satin broché, elle les pria de s'asseoir.

« Morag va nous servir le thé. »

Elle tira une fine cordelette de soie qui pendait contre le mur et, presque aussitôt, une femme d'âge mûr entra. Elle arborait la tenue traditionnelle des femmes de chambre de grande maison : robe noire, petit tablier blanc à bavette ; mais elle portait une coiffe comme jamais les jeunes Américaines n'en avaient vu : une sorte de bonnet tuyauté d'où retombaient deux longs rubans noirs.

La femme de chambre poussait une table roulante sur laquelle étaient disposés de fines tasses en porcelaine de Chine bleue, une théière, un sucrier et différents pots en argent ciselé ainsi que plusieurs assiettes de sandwiches et de petits fours.

La demi-heure suivante s'écoula très agréablement à

bavarder et à faire honneur au goûter. Alice avait l'impression d'avoir toujours connu son arrière-grand-mère ; un lien subtil s'était établi entre elles dès la première minute.

Si grande que fût son impatience d'aborder le sujet, Alice se retint de faire allusion au souvenir de famille disparu. Enfin, Lady Douglas en parla elle-même. De toute évidence, elle estimait que Fiona pouvait être mise dans le secret.

« Ce souvenir que je me réservais d'offrir à Alice, dit-elle, est mon bijou le plus précieux : une broche avec en son centre une grande émeraude sertie de diamants.

— Oh ! fit Alice, quel merveilleux cadeau ! Vous vouliez me gâter, Grannie !

— La broche avait été offerte par le prince Charles à une de mes aïeules.

— Ce beau, ce romantique jeune homme qui s'enfuit déguisé en femme ?... »

Lady Douglas sourit, amusée.

« Oui, celui-là même. (Puis, redevenant grave, elle poursuivit :) Alice, j'ai passé maintes nuits blanches depuis la perte de cette broche. La dernière chose dont je me souvienne est de l'avoir sortie du coffre-fort pour vérifier si les griffes qui retiennent les pierres étaient bien serrées. Je l'ai ensuite épinglée à mon corsage afin de mieux juger de l'effet qu'elle produisait. Il faisait lourd dans la pièce, aussi ai-je eu envie de me promener dans le parc. Quand je suis rentrée, il était temps de me coucher. J'ai retiré ma robe, que j'ai suspendue dans mon armoire. Ce n'est que le lendemain que, me souvenant de la broche, j'ai voulu la remettre dans le coffre-fort. Elle avait disparu !

— Quel malheur ! dit Fiona.

— Certes, approuva Lady Douglas. J'ai d'abord pensé qu'elle s'était détachée au cours de ma promenade. Mes domestiques ont cherché partout, en vain !

— Êtes-vous sûre de l'avoir perdue ? demanda Alice.

— Voudriez-vous dire que j'ai pu la placer ailleurs sans faire attention ? interrogea assez sèchement la vieille dame.

— Oh ! non, Grannie chérie ! protesta Alice. Je me demandais si elle n'aurait pas été volée. »

Lady Douglas parut surprise.

« Voyons, il n'y avait personne d'autre ici que John, Morag et Mary, ma cuisinière. Ils sont tous les trois d'une honnêteté irréprochable.

— Ce n'est pas à eux que je pensais. Il se pourrait que, votre broche étant tombée dans le parc, un étranger au château l'ait vue et l'ait ramassée.

— C'est une possibilité qui n'est pas à rejeter, mais les visiteurs sont rares ici, l'endroit est désert. J'avais un excellent chien de garde ; hélas ! la pauvre bête est morte la nuit même où j'ai perdu le bijou. »

Alice ne cessait de penser à l'article paru dans *L'Écho du soir*, à River City. Elle ne renonçait pas à l'hypothèse selon laquelle un voleur ou des voleurs se seraient emparés du bijou et auraient communiqué de fausses nouvelles dans le dessein de brouiller les pistes. Mais elle se garda bien de dire quoi que ce soit.

Les jeunes filles ayant terminé leur thé, Lady Douglas les fit conduire à leurs chambres. Bess et Marion voulurent défaire leurs valises. Alice, impatiente, entraîna Fiona dans le parc à la recherche d'indices. Elles décelèrent les empreintes profondes de grosses bottes qui allaient d'un champ à la cour donnant derrière le château, une autre série d'empreintes suivait le même chemin en sens inverse.

« Ces empreintes sont celles d'un homme plus lourd que John », remarqua Alice.

À ce moment, elle aperçut le digne maître d'hôtel en grande conversation avec le jardinier, homme lui aussi assez menu. Elle s'avança vers eux et, par acquit de conscience, leur demanda si ces empreintes étaient les marques de leurs pas. Ils l'assurèrent qu'il n'en était rien et ajoutèrent qu'à leur connaissance nul n'avait pénétré dans le parc.

« Pourtant un inconnu s'est introduit dans le domaine tout récemment ; il est possible que ce soit la nuit dernière, dit Alice. John, vous rendez-vous compte que ces empreintes appartiennent peut-être à une personne qui se trouvait également ici le soir où Lady Douglas a perdu la broche ? Tout me porte à croire que cette même personne a tué le chien de garde de Lady Douglas. »

Le maître d'hôtel parut interloqué.

« Champion ne semblait pas blessé, nous nous sommes longuement interrogés sur la cause de sa mort. »

Alice se demanda si le chien n'aurait pas été anesthésié comme les moutons volés, afin qu'il ne donnât pas l'alerte. Une autre éventualité lui traversa l'esprit :

« Le voleur n'a pris jusqu'ici qu'une broche ; qui me dit qu'il n'a pas commis un vol de plus grande envergure ? »

La jeune fille se tourna vers le maître d'hôtel.

« John, il est possible qu'un voleur se soit introduit dans le château, la nuit dernière. Allons vérifier si rien d'autre n'a disparu. »

Chapitre 14

Cela se gâte

John se redressa de toute sa hauteur.

« Mademoiselle Alice, sachez que rien ne peut être dérobé dans le château. Chaque porte, chaque fenêtre est reliée à une sonnerie d'alarme. Si un voleur tentait de pénétrer par une ouverture quelconque, nous serions aussitôt alertés et il serait pris.

— Je suis heureuse de le savoir, parce que j'ai pu admirer dans le château des objets précieux, de véritables œuvres d'art. N'est-il pas merveilleux de se dire qu'un jour des visiteurs venus du monde entier pourront admirer ce magnifique château et tout ce qu'il contient ?

— Et qui vient des premières familles d'Écosse », ajouta John avec fierté.

Sur ces mots, il s'éloigna en direction de la demeure seigneuriale, laissant le jardinier tailler ses arbres.

Bess et Marion vinrent rejoindre leurs deux amies. Ensemble, elles parcoururent le parc en passant en revue les divers points du mystère qui planait sur le château. Quant à Alice, elle restait convaincue que la broche avait été volée.

« Mais par qui ? » demanda Bess.

Le silence seul lui répondit.

« Il y a une chose qui m'étonne, dit Marion au bout d'un moment. Si le voleur qui s'est emparé de la broche a pu prendre le large sans encombre, pourquoi lui, ou un de ses complices, se serait-il donné tant de mal pour t'empêcher de venir en Écosse ?

— Oui, pourquoi ? insista Bess. N'oublie pas non plus que nous aurions pu, Marion, toi et moi, être tuées près du loch Lomond. Et Fiona avec nous, en débarquant du bac. »

Selon Alice, cela indiquait que sous cette affaire de bijou s'en cachait une autre de beaucoup plus grande envergure.

« En fait, reprit-elle après une seconde de réflexion, je me demande si ce vol de bijou n'est pas purement accidentel. J'inclinerais à croire que ce qui se passe ici actuellement est sans aucun lien avec le château Douglas. Ayant par un coup de hasard pu s'emparer de la broche, les voleurs de moutons auront craint que je ne me lance à la recherche de mon bien, et que je ne découvre par la même occasion leurs agissements. Raisonnement un peu spécieux, je le reconnais, et pourtant quelque chose me dit que je ne me trompe pas. »

Fiona regarda la jeune fille avec une admiration non dissimulée.

« Je comprends maintenant que vous soyez mondialement connue.

— Mondialement ? n'exagérons rien ! protesta Alice.

— En d'autres termes, intervint Bess qui suivait sa pensée, Paul Petrie, de River City, le mystérieux Rey et "Barbiche-Noire" seraient de connivence ! »

Alice approuva de la tête.

Marion se tourna vers elle.

« Tu soupçonnais les hommes qui ont à l'improviste quitté *Le Pirate* ; crois-tu qu'ils recelaient la broche ?

— C'est possible, dit Bess, mais en tout cas ils n'avaient pas caché à bord tout un troupeau de moutons. »

À cette repartie, les jeunes filles éclatèrent de rire.

Mais Alice n'était pas disposée à abandonner le sujet.

« Puisque nous avons émis l'hypothèse qu'il s'agissait de contrebande, rien ne s'oppose à ce que les voleurs aient entreposé dans les cales du bateau la laine et les cuirs et peaux en attendant de les embarquer — à destination peut-être des États-Unis. C'est là qu'interviendrait le nommé Paul Petrie.

— Rien d'illogique dans vos déductions, Alice, approuva Fiona. La police recherche des moutons volés et non de la laine ou des peaux. »

Les jeunes filles marchèrent un certain temps en silence.

« Et si nous allions faire demain un tour sur la route où j'ai aperçu le camion ? proposa soudain Alice.

— Près de la métairie de Mme Drummond ? » interrogea Bess.

Alice acquiesça et, se tournant vers Fiona, elle lui demanda de quelle direction ledit camion pouvait venir.

« En reconstituant son parcours, nous trouverions peut-être un indice », précisa-t-elle.

Fiona répondit que le véhicule descendait du Ben Nevis.

« J'ai une idée, poursuivit-elle : pourquoi ne camperions-nous pas là-bas cette nuit ? Le vallon est un endroit très pittoresque, qu'affectionnent les amateurs d'escalade. Ils organisent des courses de vitesse de bas en haut et de haut en bas du Ben Nevis.

— Quelle hauteur a cette montagne ? demanda Marion.

— Environ 1 400 mètres.

— Et vous dites qu'ils la gravissent jusqu'au sommet ?

— Oui. »

Voilà qui était de nature à enthousiasmer la sportive Marion.

« Avec ou sans mystère, je veux y aller », déclara-t-elle, péremptoire.

La perspective de coucher à la belle étoile rallia tous les suffrages. Alice en demanda la permission à son arrière-grand-mère, qui leur promit de leur fournir les couvertures nécessaires. Après le dîner, elle les emmena faire le tour de sa demeure.

« Nous terminerons par le grenier, dit la vieille dame, qui avait gardé une extraordinaire verdeur. Vous y trouverez de solides vêtements de marche, mieux adaptés que les vôtres à notre climat. »

Tandis qu'elles parcouraient ensemble couloirs, vestibules et salles, Bess songeait que jamais elle n'avait vu pareil assortiment d'armures et de portraits.

Le grenier ne ressemblait en rien à ce qu'Alice attendait. Très vaste, il était en aussi bon ordre que les autres pièces. Lady Douglas leur apprit qu'il servait autrefois de salle de jeux. Les hommes de la famille et leurs invités y jouaient au billard. Maintenant, on y rangeait les habituels vieux meubles, les livres démodés et les malles.

« Ouvrez ces malles, vous y trouverez toutes sortes

de vêtements et des couvertures. Prenez ce que vous voulez. »

Les jeunes filles se demandaient en quoi des robes et costumes ayant appartenu à Lady Douglas et à ses aïeules pourraient leur servir. Quelles ne furent pas leur surprise et leur joie de découvrir des kilts, des blouses blanches, des bas noirs et toutes sortes de bonnets, le tout de tailles diverses.

Une idée traversa aussitôt la tête d'Alice.

« Voilà qui nous fera de parfaits déguisements... », commença-t-elle.

Elle s'arrêta aussitôt, craignant d'inquiéter Lady Douglas, à qui elle préférait ne pas révéler le véritable motif de leur excursion nocturne. Mais ses compagnes n'eurent pas besoin d'explication pour comprendre.

« Essayons ces costumes ! » dit Marion, impatiente.

Les kilts appartenaient à divers clans — ce qui ne laissa pas d'étonner Alice. Elle en fit la remarque à son arrière-grand-mère. La vieille dame sourit.

« Mes aïeules venaient d'autres clans et apportaient avec elles leur costume, qu'ensuite elles rangeaient dans les coffres. »

Après plusieurs essayages, Fiona choisit un tartan aux couleurs des Ogilvy, rouge, bleu pâle et blanc, Marion revêtit le kilt jaune et noir des McLeods de Lewis.

Bess était charmante dans un kilt aux couleurs des Stuarts : de grands carreaux blancs coupés de lignes vert pâle et rouges.

« Alice, ma chérie, tu as choisi le tartan des Cameron, le clan de ma mère, dit Lady Douglas. Il te sied à ravir. »

Le tissu à grands carreaux rouge vif, rehaussés de bandes vert foncé, faisait ressortir la beauté d'Alice.

« Cela ne vous ennuie vraiment pas que nous empruntions ces costumes ? demanda Alice. Nous risquons de les salir et même de les déchirer au cours de notre équipée. »

Lady Douglas la rassura, ils n'avaient aucune valeur et avaient été portés maintes fois.

« Je suis navrée de ne pas avoir de sacs de couchage modernes, mais vous trouverez dans une de ces malles de chaudes couvertures de voyage et des sacs à dos. »

Quand les jeunes filles eurent réuni l'équipement voulu, elles descendirent, précédées par Lady Douglas. Sur les ordres de la maîtresse de maison, la cuisinière prépara des repas froids pour la journée du lendemain.

Après le dîner, Lady Douglas, Alice, Fiona et Marion s'attardèrent dans le salon où elles devisèrent gaiement. Fatiguée, Bess était allée se coucher. Pourtant, elle ne se sentait pas rassurée dans cette grande chambre, isolée à l'extrémité de l'aile gauche du château. Au-dehors, régnait une pénombre propice aux fantômes qui, dit-on, hantent les châteaux d'Écosse ; les branches des arbres se découpaient, noires et mouvantes, contre le ciel que l'obscurité ne parvenait pas à envahir ; un torrent faisait entendre son murmure. Cristallin et joyeux au soleil, la nuit il semblait plaintif. Des oiseaux nocturnes lançaient leur appel rauque, parfois le cri d'un mulot attaqué par une chouette déchirait l'air.

Bess ne parvenait pas à s'endormir. Le visage à demi enfoui sous les couvertures, elle cherchait désespérément le sommeil. « Quelle idée aussi d'avoir voulu monter seule ! » se reprochait-elle, furieuse contre elle-même.

Tout à coup, des pas se firent entendre. Un bruit

étrange lui parvint de la cheminée, on aurait dit que quelqu'un venait de buter contre le tablier de tôle. Un silence. Le cœur de Bess battait à se rompre. Étaient-ce des pas ou les battements de son cœur qui résonnaient ainsi à son oreille ? Que faire ? Se lever ? Impossible ! La peur lui ôtait toute force. Soudain un cri lugubre retentit dans la chambre : « Hou ! hou ! » Folle de terreur, Bess s'enfonça dans ses draps. Impitoyable, la voix reprit, menaçante, ironique : « Hou ! hou ! » Les pas se rapprochaient. « Hou ! hou ! » Dans un sursaut d'énergie, Bess voulut allumer. Elle tendit une main tremblante vers le commutateur. Au même moment, quelque chose s'abattit sur le montant de son lit, deux yeux cruels la regardèrent fixement. Elle poussa un cri, et, dans un dernier effort pour atteindre la lampe, elle fit basculer la table de chevet.

... Quelques secondes plus tard, Alice, Fiona et Marion, alertées par le vacarme, se ruaient dans la chambre et trouvaient Bess évanouie, une chouette agrippée aux barreaux de son lit, plus terrorisée encore que son involontaire victime.

L'aventure se termina par de joyeux éclats de rire quand ladite victime, revenue à elle, eut libéré la malheureuse chouette qui, se prenant pour un détective — prétendit la taquine Marion —, avait eu la malencontreuse idée de vouloir explorer la cheminée.

Le lendemain matin, elles revêtirent leurs costumes écossais. Morag les félicita.

« Vous êtes de vraies roses d'Écosse. On vous croirait toutes les trois de chez nous ! »

Le compliment alla droit au cœur des jeunes Américaines, qui y répondirent par un sourire. Ce fut pleines d'entrain et d'espoir qu'elles montèrent en voiture avec Fiona. La jeune Écossaise fit prendre à Alice un raccourci. Il débouchait sur la route qui passait devant la métairie où elles avaient reçu un chaleureux accueil.

Conductrice et passagères inspectèrent le chemin et ses abords, à la recherche de quelque indice qui les mettrait sur la piste des voleurs de moutons : traces de pneus sur les bas-côtés, dans les champs en bordure de la route. Elles ne découvrirent rien qui leur parût digne d'intérêt.

Arrivées au vallon, elles franchirent un torrent qui descendait de la montagne en cascadant sur de grosses pierres.

« Quel admirable paysage ! s'exclama Bess. Décidément, j'aime de plus en plus l'Écosse. »

Partout autour d'elles, des montagnes s'élevaient en pentes rapides sans qu'elles fussent abruptes au point de décourager les grimpeurs. Entre les roches croissaient arbres et buissons. Çà et là, des plaques de bruyères jetaient une note allant du mauve au pourpre et qui donnait à l'ensemble un charme particulier.

La route suivait le torrent. Fiona montra à ses amies des emplacements réservés aux campeurs. Elles croisèrent bientôt un groupe d'alpinistes qui s'apprêtaient à disputer une course sur le Ben Nevis. Ce serait à qui réussirait le meilleur parcours sur la montée et la descente.

Alice arrêta la voiture, et les jeunes filles mirent pied à terre pour assister à cette compétition. Parmi les concurrents, il y avait quatre jeunes gens en chandails blancs sur lesquels était cousu l'insigne de leur collège. L'un d'eux héla Fiona.

« Souhaite-moi bonne chance, lui cria-t-il. Nous devons monter jusqu'au grand sapin. Le dernier record est de vingt minutes aller et retour. »

Fiona lui adressa un geste d'encouragement et dit à

ses compagnes que le jeune garçon était un de ses cousins. L'agilité et la souplesse de ces jeunes gens, qui couraient littéralement sur les pentes de la montagne, stupéfièrent les Américaines. Comme les concurrents approchaient du but, Fiona s'écria :

« Hourra ! c'est Ian qui est en tête ! »

Il fut le premier à entreprendre la descente. Cette partie de la compétition était de beaucoup la plus dangereuse. Les jeunes filles avaient le regard rivé à leur bracelet-montre.

« Ian va égaler le record ! » annonça Fiona.

Elle ne s'était pas trompée. En 20 minutes, celui-ci couvrit le parcours fixé, le second mit 25 minutes, le suivant 28 et les autres s'échelonnaient aux alentours de 30 minutes.

Ian vint saluer sa cousine, qui le présenta à ses nouvelles amies. Les camarades de Ian se joignirent à eux et invitèrent les jeunes filles à venir passer la journée dans leur camp.

« Fiona, tu connais plusieurs des filles qui y participeront », dit Ian, pour emporter son adhésion.

Précaution inutile : car la proposition fut acceptée avec enthousiasme... et, peu après, Alice, Bess et Marion faisaient la connaissance des amies de Fiona. Pour la plupart, les campeurs portaient le kilt. Certains venaient de l'île de Skye, d'autres d'Inverness. Leur accueil fut si cordial qu'il mit aussitôt les jeunes Américaines à leur aise.

Ce fut au milieu des rires et du bruit des conversations que tous défirent les paquets de sandwiches et commencèrent à déjeuner.

Le bourdonnement des voix n'empêcha pas Alice de percevoir les accents d'une musique lointaine. Tout à coup, elle se redressa. Une cornemuse répétait indéfi-

niment les mêmes notes. L'air n'était autre que celui de *Scots, wha hae* !

Alice braqua les yeux dans la direction d'où venait cette étrange mélodie. Impossible de distinguer le joueur. Se tenait-il de l'autre côté de la crête ? La jeune détective se remémora les divers incidents qui avaient marqué ces derniers jours et une idée lui vint. Il lui semblait que cet air était joué chaque fois qu'elle se trouvait à proximité. « Ne serait-ce pas le fameux Rey qui signale ma présence à ses complices ? » se demanda-t-elle.

Ses amies n'avaient pas prêté attention à la musique qui s'arrêta brusquement. Après les avoir mises rapidement au courant, Alice ajouta :

« Je vais monter à la recherche du mystérieux joueur de cornemuse.

— Méfie-toi de ne pas tomber dans un piège ! répliqua Bess.

— Si vous m'accompagnez, le danger sera pratiquement nul.

— Rassure-toi, je ne t'aurais pas autorisée à t'éloigner sans nous », déclara Marion avec emphase.

Les jeunes filles prévinrent les autres campeurs qu'elles allaient explorer le sommet et, sans autre explication, partirent. La montée était rude, il faisait chaud, aussi le silence planait-il sur le petit groupe. Alice et Fiona marchaient en tête, Bess et Marion tiraient un peu la jambe. Enfin, Bess rattrapa l'avant-garde.

« Qu'as-tu fait de Marion ? » s'enquit Alice, surprise de ne pas la voir.

Bess lui répondit que sa cousine avait voulu prendre un raccourci.

À ce moment un cri leur parvint. C'était la voix de

Marion. Horrifiées, Fiona, Alice et Bess se retournèrent. À quelque distance, sur le flanc de la montagne, l'inconnu qui les avait précipitées dans l'eau s'efforçait de pousser leur amie dans la pente.

« L'homme à la barbiche noire ! » hurla Bess, affolée.

Sous un choc plus violent, Marion perdit l'équilibre, tomba la tête la première et commença à rouler le long de la pente. Son assaillant s'enfuit vers un épaulement proche.

Chapitre 15

Le joueur de cornemuse invisible

Alice et Bess volèrent au secours de Marion qui dévalait toujours plus vite.

Par chance, à une vingtaine de mètres de son point de chute, le sol se relevait légèrement. En enfonçant ses talons tant qu'elle put, la malheureuse parvint à freiner sa course — et, bientôt, ses amies arrivèrent à ses côtés.

« Es-tu blessée ? demanda anxieusement Alice.

— Si elle est blessée ? fit Bess, outrée. En voilà une question ! Tu n'as donc pas vu toutes ses écorchures ? Il faut la conduire tout de suite chez un médecin.

— Ne sois pas stupide ! intervint Marion. Je n'ai rien de grave. J'ai tout simplement l'impression d'avoir été rouée de coups. »

Elle se releva et, avec l'aide de ses amies, elle brossa de la main la poussière de son costume.

« Quand nous redescendrons, je me laverai à l'eau du torrent, cela me rafraîchira délicieusement », dit-elle.

Et, la mine féroce, elle grommela :

« Si jamais j'attrape cet individu à barbiche, il verra ce qu'il verra ! »

Cette rodomontade fit sourire Alice et Bess. Tout à coup, les trois amies s'aperçurent de l'absence de Fiona. Alice l'appela : pas de réponse.

La peur s'empara d'elles. L'inconnu se serait-il attaqué à la jeune Écossaise ?

« Je pars à sa recherche ! » déclara Alice.

Ni Marion ni Bess ne voulant la laisser aller seule, elles remontèrent ensemble la pente raide et se hâtèrent de gagner l'épaulement.

À plusieurs reprises elles appelèrent Fiona en vain.

Alice se hissa sur l'arête montagneuse et vit Fiona, au-dessous d'elle, immobile à l'orée des sapins. Elle donnait l'impression de se cacher de quelqu'un.

Alice fit signe à ses amies de la suivre. Peu après, elles se retrouvaient auprès de Fiona.

« Que se passe-t-il ? » demanda Alice.

Fiona sourit, taquine.

« Je marche sur vos traces. Vous m'avez convertie au métier de détective. Quoi qu'il en soit, je me suis dit que, puisque l'homme s'enfuyait dans cette direction, c'est sans doute parce qu'il venait de ce côté du Ben Nevis. Et j'ai voulu le repérer.

— Y êtes-vous parvenue ? »

Fiona hocha la tête.

« Hélas ! non. Je n'ai pas détecté M. Barbiche ; mais regardez par là ! »

Et, de la main, elle désignait un étroit vallon où paissaient des brebis.

« Il y a un instant, un berger était parmi eux, il a disparu tout à coup. Or, chose singulière pour un berger, il n'avait pas de chien avec lui. Je me suis dit qu'il s'agissait peut-être d'un imposteur et que les moutons avaient été volés, puis rassemblés ici en vue d'un transport ultérieur.

— Fiona ! vous êtes extraordinaire ! s'écria Alice. Il faut prévenir tout de suite la police.

— Impossible... d'ici. Nous le ferons demain matin.

— Si Fiona ne se trompe pas, l'homme qui a poussé Marion dans la pente a épié tous nos mouvements, reprit Alice. C'est sans doute lui qui a alerté ses amis en jouant *Scots, wha hae* sitôt qu'il a découvert notre présence ici. Puis, voyant que nous gravissions la colline jusqu'au sommet, nous rapprochant ainsi dangereusement de sa zone d'opérations, il se sera affolé et aura tenté un acte de désespoir...

— Qui consistait à me précipiter en bas de la pente, comptant que vous vous lanceriez toutes à mon secours et qu'ainsi il aurait le temps de disparaître, continua Marion.

— Et il a calculé juste ! » conclut Alice.

Bess poussa un profond soupir.

« Maintenant qu'il te sait prévenue, Alice, M. Barbiche, comme dit Fiona, ne va plus oser bouger, et les moutons seront pendant quelque temps à l'abri de ses méfaits. »

Ce raisonnement semblant frappé au coin du bon sens, les jeunes filles quittèrent l'orée du bois, remontèrent au sommet et redescendirent vers la rivière. Marion put enfin se laver le visage et les mains dans l'eau fraîche — ce qui calma la douleur de ses écorchures.

Ce soir-là, les campeurs écossais organisèrent une fête en l'honneur des jeunes Américaines. Ils chantèrent des airs guerriers de l'époque héroïque, des complaintes dont la célèbre *Annie Laurie* et terminèrent par *Ce n'est qu'un au revoir, mes frères,* que tous reprirent en chœur.

Les chants terminés, les jeunes filles d'abord, les jeunes gens ensuite dansèrent au son des cornemuses. Puis deux couples exécutèrent des gigues et d'autres danses folkloriques. Après une brève pause, Fiona s'approcha d'Alice et lui dit en souriant :

« Ils vont maintenant danser en votre honneur une gigue intitulée *Mademoiselle Alice fronce le sourcil.* »

Très amusée, Alice regarda attentivement les évolutions des jeunes gens.

Trois couples faisaient des pas qui paraissaient très compliqués. Tout à coup, une danseuse s'arrêta et insista pour qu'Alice prît sa place. Encore qu'elle fût bonne danseuse, la jeune Américaine éprouva quelque peine à suivre les mouvements de ses partenaires. Ce qui n'empêcha pas les assistants d'applaudir chaleureusement ses louables efforts.

La soirée s'acheva par un ravissant solo de Fiona. La clarté, la pureté de sa voix ravirent Alice et ses amies. Sous le ciel étoilé, les paroles de sa complainte prenaient une solennité particulière :

« Adieu, montagnes, adieu, Écosse,
Berceau de la valeur et du courage !
Partout où me porteront mes pas,
Ton souvenir toujours me suivra,
Ô doux pays de mes rêves ! »

La dernière note mourut dans un silence religieux. Tous étaient émus. Enfin les applaudissements éclatèrent.

Après un souper froid, les campeurs se retirèrent

dans leurs tentes ou s'enroulèrent dans leurs couvertures.

Seule Alice ne put trouver le sommeil. Le murmure du torrent aurait dû la bercer ; or, il lui semblait au contraire que le torrent lui parlait : « Tu es sur le point de faire une découverte capitale ! »

Une heure plus tard environ, Alice sursauta ; elle venait d'entendre un sifflement produit sans aucun doute par un chalumeau de cornemuse. Un signal ? Oui, mais que signifiait-il et à qui s'adressait-il ?

Alice se dégagea de sa couverture, se leva et scruta le paysage alentour. La lune était pleine. Sa clarté enveloppait le Ben Nevis d'une lumière blanche. Sur une crête, un peu au-dessous du sommet et partiellement estompée par la brume, la silhouette du cornemuseux se profilait. Le son s'éteignit, la silhouette disparut...

Était-ce un fantôme ou était-ce un être de chair et de sang ?

Alice se rappela que, la première fois qu'elle avait entendu siffler ainsi, un camion d'où s'échappait un bêlement avait passé près de la métairie. Ce sifflement, qui venait de rompre le silence, signifiait-il que la voie était libre et qu'on pouvait procéder au transfert des moutons aperçus dans l'après-midi ?

« Seule, je ne peux empêcher cela ! se dit Alice, navrée. Et même si tous les campeurs réunis s'élançaient au sommet de la montagne, ils arriveraient trop tard. »

Elle se tourna et se retourna longtemps, incapable de trouver le sommeil ; enfin, la fatigue prenant le dessus, elle s'endormit.

Au matin, la première levée, elle guetta le réveil de

Fiona et, à voix basse, lui raconta ce qui s'était passé au cours de la nuit.

« Pourriez-vous m'accompagner jusqu'à l'épaulement du Ben Nevis où nous sommes allées hier ? demanda-t-elle.

— Avec plaisir. »

Parvenues au sommet de la crête, elles se hâtèrent de descendre l'autre versant. Quand elles furent en vue du petit vallon, elles constatèrent que tous les moutons avaient disparu.

« Seigneur ! votre supposition d'hier soir était peut-être la bonne ! s'exclama Fiona.

— Allons faire un tour là-bas, voulez-vous ? Si nous trouvions un indice quelconque, ce serait merveilleux. »

En chemin, Fiona rappela à sa compagne qu'en Écosse, les troupeaux étant libres de vagabonder sur les collines, il se pouvait que les bêtes fussent allées paître un peu plus loin.

Hélas ! dans le vallon et aux alentours, pas la moindre brebis, pas le moindre agneau. Alice aperçut une petite cabane qui servait de refuge, sans doute, au berger. Suivie de Fiona, elle s'en approcha et frappa à la porte. Pas de réponse. Sur le conseil de la jeune Écossaise, elle tourna la poignée. La porte s'ouvrit sans difficulté. La pièce unique était sommairement meublée d'un châlit, d'une table et d'une armoire contenant quelques provisions. Dans l'âtre, les cendres étaient encore tièdes.

« Cette cabane a été récemment occupée », constata Alice.

Non sans éprouver, du fait de leur indiscrétion, un certain remords, les deux amies s'apprêtaient à partir lorsque Alice aperçut un livre ouvert sur la table. Elle s'avança pour en déchiffrer le titre. C'était un dictionnaire gaélique. Sur la page de droite un mot souligné : *mall*.

« Regardez, Fiona ! dit Alice, très agitée par cette découverte. C'est un des mots que contenait le message dont je vous ai parlé. »

Rapidement, Alice feuilleta le dictionnaire.

« Voilà encore *rathad* ! Il est souligné aussi. »

Et, successivement, elle trouva : *dig, glas, slat, long, bean, ball, gun, ail.* Tous soulignés.

Chapitre 16

Alice inculpée

L'importance de leur découverte ne leur apparut qu'après quelques instants de réflexion. Enfin, Fiona rompit le silence.

« Allez-vous mettre la police au courant de cela ? demanda-t-elle.

— Certes, et je lui ferai un résumé des incidents de ces derniers jours. »

Sous l'effort de concentration qu'elle s'imposait, Alice fronça les sourcils.

« Fiona ! les mots "grande-route-fossé" de ce fameux message ne désigneraient-ils pas une route donnée, sur laquelle les voleurs circuleraient ? »

La jeune Écossaise parut surprise.

« Je croyais que, selon vous, ils voulaient dire que Rey ou un de ses complices devaient vous faire verser dans un fossé.

— Ce n'était qu'une hypothèse, tout comme celle que je viens d'émettre, d'ailleurs. Si seulement je connaissais la signification de "*loch-rod*" et de "femme-membre-sans-estampille"... »

Alice décida de laisser le dictionnaire ouvert à la

page portant le mot *mall*, afin de ne pas éveiller les soupçons de l'occupant de la cabane. Pour retrouver la page, elle souleva le livre et eut un sursaut.

Au-dessous, il y avait un papier avec un autographe d'elle !

« Qu'y a-t-il ? » demanda Fiona.

Alice le lui expliqua. La jeune Écossaise prit un air soucieux.

« En ce cas, l'homme qui a acheté cet autographe à River City utilise la cabane comme refuge. »

Interloquée, Alice resta quelques instants silencieuse. Si les morceaux du puzzle commençaient à se mettre en place, le fait de se voir impliquée dans le mystère des moutons l'inquiétait. Une chose lui paraissait certaine : Paul Petrie ou un de ses complices se servait de son autographe à des fins manifestement illégales.

Que faire ? se demandait-elle. Si elle enlevait le papier, l'occupant de la cabane, mis de ce fait sur ses gardes, s'empresserait de prendre la fuite après avoir averti ses amis d'en faire autant.

« Non ! ce serait trop bête de compromettre leur arrestation en flagrant délit », décida-t-elle.

Elle remit le tout en place. Avant de sortir, les deux amies jetèrent un coup d'œil autour de la cabane. Rassurées, elles gravirent lentement la colline, dévalèrent l'autre versant jusqu'à la rivière. Les campeurs étaient tous éveillés. Le café et le lait chauffaient sur des brasiers improvisés.

« Alice ! Fiona ! crièrent ensemble Bess et Marion. Où étiez-vous ? Nous vous avons cherchées partout !

— Veuillez accepter nos plus humbles excuses ! » dit en riant Alice.

Et se rapprochant des deux cousines, elle leur communiqua à voix basse les surprenantes découvertes qu'elles venaient de faire. La stupeur cloua Marion et Bess sur place.

Aussitôt après le petit déjeuner, les quatre amies reprirent le chemin du château.

Lady Douglas se promenait dans le parc. Elle les accueillit avec le sourire, un peu étonnée de leur prompt retour.

« Ne me dites pas que vous avez déjà résolu le mystère ! s'exclama-t-elle.

— Non, Grannie, répondit Alice, mais nous avons trouvé un indice sérieux ; j'aimerais téléphoner au commissariat tout de suite. »

À ces mots, le visage de l'aimable vieille dame se rembrunit.

« J'oubliais, Alice, que le commissaire veut te parler, lui aussi. Il vient de partir d'ici il y a quelques minutes à peine. Quand il m'a exposé le motif de sa visite, je suis montée sur mes grands chevaux. Oser te soupçonner, toi, ma petite-fille ! C'est d'une incroyable impertinence.

— Que dites-vous, Grannie : me soupçonner, moi ! Et de quoi, Seigneur ? »

Lady Douglas lui expliqua que, depuis deux ou trois semaines, un certain nombre de gros chèques sans provision avaient été émis en Écosse. Après de difficiles recherches, la police avait identifié, du moins le prétendait-elle, le coupable en la personne de la jeune fille dont la photo s'étalait sur la couverture du dernier numéro de *Photographie internationale.*

Le visage d'Alice s'allongea.

« Ainsi donc, mon autographe a été utilisé par un faussaire ! »

Elle raconta à son arrière-grand-mère comment, à

River City, un inconnu avait réussi à s'emparer d'un autographe qu'elle venait de signer, et comment elle avait retrouvé cet autographe dans la cabane d'un berger, sur le Ben Nevis.

« L'affaire est plus grave que je ne pensais, dit Lady Douglas. J'ai protesté auprès du commissaire, lui contestant le droit de t'importuner avec cette histoire. Devant son insistance, je lui ai finalement promis que tu lui téléphonerais dès ton retour, et que tu t'expliquerais toi-même avec lui.

— J'y vais tout de suite, si vous le permettez. »

Alice courut au téléphone.

Ce fut le commissaire en personne qui lui répondit. Il se contenta de lui annoncer que ses deux adjoints, l'inspecteur Anderson et l'inspecteur Buchanan, viendraient s'entretenir avec elle dans le courant de la matinée.

Ils furent reçus au salon par Lady Douglas, entourée des quatre jeunes filles.

Anderson était un homme jeune, d'un abord agréable, et il parut disposé à croire Alice, quand elle affirma n'avoir signé aucun chèque sans provision. Son camarade, lui, se montra plus réticent. Son air rogue indiquait clairement qu'il n'ajoutait pas foi aux dénégations de « Mlle Roy ». Selon lui, les preuves accumulées contre elle étaient accablantes.

« Puisque je n'ai pas de compte ouvert dans votre pays, je ne possède pas de carnet de chèques, dit Alice. Je suppose, d'ailleurs, que la coupable ne me ressemble que d'assez loin.

— Bien au contraire, dit Buchanan sèchement. Le signalement de la personne qui signe ces chèques correspond au vôtre. En outre, à la vue de la photographie publiée par une revue, plusieurs personnes ont reconnu la jeune fille qui les avait si vilainement lésées. »

Alice resta sans voix. Ce que voyant, Buchanan déclara qu'il avait ordre d'interdire à « Mlle Roy et à ses amies » de quitter le château jusqu'à nouvel ordre.

En entendant cela, Lady Douglas prit la parole pour la première fois.

« Si je prends sous mon entière responsabilité les faits et gestes de ma petite-fille, votre chef s'en estimera-t-il satisfait ? » demanda-t-elle.

Alice comprit que la situation parvenait à un point critique. L'inspecteur ne tenait pas à mécontenter Lady Douglas, mais, d'autre part, il avait un devoir à remplir. La jeune fille eut une inspiration soudaine : si elle téléphonait à son père, celui-ci réussirait peut-être à régler la question ?

Elle en parla aux inspecteurs qui, tous deux, donnèrent leur accord. Sans trop de difficulté, elle obtint la communication avec Édimbourg. Son père se reposait dans sa chambre d'hôtel.

Après avoir écouté sa fille, M. Roy, indigné, demanda à s'entretenir avec les inspecteurs.

Buchanan alla au téléphone. Au bout de quelques minutes de conversation avec l'avoué, il raccrocha et appela son supérieur. Alice rejoignit les autres au salon.

Enfin l'inspecteur revint au salon.

« M. Roy nous a donné sa parole que sa fille se présenterait devant le tribunal si elle était convoquée. En conséquence, le commissaire vous autorise, mesdemoiselles, à aller et venir à votre guise.

— Merci, dit Alice. Je vais employer cette liberté à dépister la personne qui se sert de mon nom pour signer des chèques sans provision. »

Elle avait sur ce point quelques idées, dont elle se garda de faire part aux inspecteurs. Elle leur parla, toutefois, du camion qui avait attiré son attention lorsqu'elle était chez Mme Drummond, et de ce qu'elle avait surpris sur le Ben Nevis. La cabane du vallon ne serait-elle pas le repaire d'un des voleurs de moutons ?

« Hier, nous avons vu près de cette cabane un troupeau ; le lendemain, il avait disparu. Si vous entrez dans la cabane, vous trouverez mon nom sur une feuille de papier. Elle a été laissée là par un homme qui a trouvé moyen, aux États-Unis, de se procurer un autographe que j'avais donné à un enfant. »

Les deux inspecteurs la regardèrent avec surprise. Buchanan parut plus conciliant.

« Cet autographe est sous un dictionnaire anglais-gaélique », précisa Alice.

Les policiers se retirèrent après avoir dit qu'ils enverraient sans tarder quelqu'un surveiller la cabane.

Après le déjeuner, Alice téléphona au commissariat pour connaître le résultat de la perquisition.

« Hélas ! mademoiselle, il ne restait plus que les meubles. »

Alice sentit le cœur lui manquer. Ainsi, un nouvel espoir s'envolait.

« Et les moutons ? Vous a-t-on signalé de nouveaux vols ?

— Oui. Un fermier vient de nous annoncer que cinquante de ses bêtes ont disparu comme les petits lutins du Pont-aux-Fées. »

Alice rejoignit ses amies et s'empressa de demander à Fiona ce que signifiait cette allusion au Pont-aux-Fées.

« On raconte, commença Fiona, que, non loin de

chez moi, vivait jadis un petit peuple de lutins. Ils adoraient jouer des tours, mais lorsque les géants — en l'espèce, les hommes — arrivèrent, les lutins comprirent qu'ils n'étaient pas de taille à lutter avec eux et que l'ère des facéties au grand jour était révolue. Ils prirent alors l'habitude de se cacher, puis, quand personne n'était en vue, ils sortaient de leur refuge et faisaient quelque innocente farce à ces géants. Une de leurs cachettes favorites se trouvait sous la voûte d'un très vieux pont de pierre, qui prit le nom de Pont-aux-Fées. »

Alice et ses amies sourirent, charmées. Bess poussa un soupir de regret.

« Comme j'aimerais rencontrer de nos jours un de ces joyeux lutins, ce serait certes plus agréable que de se mesurer à des escrocs et à des voleurs de moutons ! »

Les jeunes filles allèrent se promener dans le jardin en bavardant gaiement. Seule Alice gardait le silence.

« Qu'est-ce qui te préoccupe ? lui demanda enfin Marion. Je parie que tu meurs d'envie d'aller faire un tour dans la fameuse cabane et d'en inspecter le moindre recoin. L'unique chose qui t'arrête est la crainte d'encourir les foudres de la police.

— Tu l'as deviné !

— Peu importe. Qui ne risque rien n'a rien. En route !

— J'hésite, je l'avoue. J'ai eu assez de difficultés avec ces messieurs les inspecteurs sans en chercher de nouvelles. Enfin, si Grannie m'en accorde la permission, j'irai. »

À sa grande joie, Lady Douglas approuva le projet.

« Ma chérie, tu as, je l'ai compris, un réel talent de détective. Tu as, en outre, de puissants motifs d'agir :

retrouver la broche, identifier les voleurs de moutons et démasquer l'auteur des chèques sans provision. Or, j'ai l'impression que ces trois choses sont étroitement mêlées. Il ne me reste donc qu'à vous souhaiter bonne chance. »

Et, gentiment, elle les embrassa toutes les quatre.

Fiona, qui connaissait bien la configuration du pays, dit à Alice qu'à son avis il devait exister un raccourci conduisant au vallon. Suivant les directives de la jeune Écossaise, Alice quitta la grand-route et s'engagea dans un chemin particulièrement solitaire. Après avoir roulé quelque temps, elles aperçurent au loin des tourbillons de fumée.

Au sortir d'un virage, elles restèrent stupéfaites à la vue de broussailles en feu sur le flanc de la colline.

« Vite, allons chercher des balais pour étouffer les flammes ! » dit Fiona.

Chapitre 17

La poursuite

« Des balais ? fit Bess. Que voulez-vous dire ?

— Vous verrez. Vite ! Alice, accélérez. Il faut maîtriser le feu avant qu'il n'atteigne les grands arbres. »

La voix de Fiona était tendue, Alice ne posa pas de questions. Elle longea la route à toute allure jusqu'à ce que Fiona lui fît signe de ralentir.

« Allez plus doucement, les balais sont droit devant nous. »

En bordure d'un champ, se dressait un petit abri en bois, contenant de gros balais. Alice s'arrêta devant. Fiona sauta à terre et courut en prendre quatre. Les balais étaient faits de ramilles de bouleau maintenues ensemble par un gros fil de fer.

« On les place toujours à portée des passants pour combattre le feu », dit Fiona en remontant rapidement en voiture.

Alice fit demi-tour et repartit à toute vitesse. Fiona leur expliqua que, dès que l'on repérait un foyer d'incendie dans la bruyère, il fallait aussitôt tenter de l'éteindre.

« C'est une règle à laquelle tous les Écossais se conforment », ajouta-t-elle.

Trente secondes plus tard, les quatre amies bondissaient hors de la voiture et se précipitaient vers les broussailles en flammes.

« Séparons-nous et travaillons en lisière du feu, ordonna Fiona. Vous sentirez peut-être le sol brûlant sous vos semelles, mais il n'y a pas moyen de faire autrement. »

Les quatre jeune filles frappèrent sans relâche les flammes. Au bout d'une demi-heure, le foyer le plus important était maîtrisé. Lasses, elles s'appuyèrent sur les balais. Les grands arbres étaient sauvés !

« Ouf ! soupira Bess, je suis contente que ce soit terminé ! »

Elle aurait aimé s'asseoir par terre et se reposer un peu. Mais ce n'était pas l'endroit idéal.

En traînant les pieds, elles regagnèrent la route. Elles étaient rouges et ruisselantes de sueur, elles commençaient à avoir des ampoules dans le creux de la main. Leurs chandails et leurs jupes étaient maculés de cendres et de poussière, quant à leurs chaussures, impossible d'en discerner la couleur.

« Eh bien, nous sommes jolies à voir ! dit en riant Marion. Pourvu que nous ne rencontrions pas quelque beau chevalier. »

Bess gloussa :

« En fait de beau chevalier, regarde qui nous attend ! »

Une voiture s'était arrêtée derrière celle d'Alice. Deux inspecteurs de police venaient d'en descendre.

« Anderson et Buchanan ! » fit Marion, atterrée.

Lorsque les jeunes filles, armées de leurs balais,

arrivèrent près d'eux, les deux hommes les dévisagèrent avec stupeur. Alice prit la parole et insista sur le rôle prépondérant qu'avait joué Fiona dans cette dernière aventure.

« Ce qui est magnifique, c'est que vous ayez réussi à vous seules à maîtriser l'incendie. Mes félicitations, mesdemoiselles ! » dit Buchanan.

L'inspecteur parut hésiter une seconde sur ce qu'il allait faire, puis il s'avança.

« Mademoiselle Roy, je suis désolé d'avoir mis en doute votre honnêteté. Jamais une personne ayant quelque chose à se reprocher n'aurait pris la peine de s'arrêter pour éteindre un incendie de forêt. Veuillez m'excuser. »

Alice lui adressa un aimable sourire.

« Vous ne faisiez que votre devoir, monsieur l'inspecteur. »

Buchanan s'inclina, tandis que le visage de son compagnon s'éclairait.

Alice et ses amies remontèrent en voiture et, après un dernier geste d'adieu aux policiers, elles s'éloignèrent, leur laissant le soin de vérifier si les broussailles étaient bien éteintes.

Peu après, elles parvinrent à un endroit où Fiona leur conseilla de garer la voiture.

« Nous commencerons l'escalade à partir d'ici. Je crois savoir où se trouvent exactement le petit vallon et la cabane. »

La jeune Écossaise avait décidément le sens de l'orientation, car, bientôt, les quatre amies suivaient un sentier muletier que les moutons volés avaient grimpé, au dire d'Alice, avant d'être anesthésiés et entassés dans un camion.

Les jeunes filles inspectaient sans cesse du regard

les alentours. Elles ne virent rien de suspect. Au bout de quelques minutes, elles parvenaient à la cabane et se mettaient en devoir de fouiller le moindre recoin... sans résultat.

« Il n'y a plus que ce tas de cendres que nous n'ayons pas retourné », dit enfin Marion.

Elle prit de longs rameaux et, avec l'aide de Bess, dispersa les cendres qui recouvraient un amas de boîtes de conserve, d'épluchures de bananes, de débris de verre.

« Ce singulier berger est en tout cas un homme d'ordre ! dit Bess. On ne saurait lui reprocher de n'avoir pas tout rangé avant de partir. »

Cette remarque donna à réfléchir à Alice. Si l'homme avait une telle hâte de s'éclipser, pourquoi s'était-il donné tant de peine pour nettoyer ?

Bess continuait à fouiller autour de la cabane. Soudain, elle aperçut une petite toile à dessin clouée sur une planchette. Cette toile, couverte de taches de diverses couleurs, avait été dissimulée au creux d'un buisson.

« Que diable cela peut-il être ? » se demanda-t-elle.

Après avoir retourné le dessin dans tous les sens, elle le mit de côté.

Alice le prit, l'examina, persuadée qu'il avait une signification particulière, car sa présence dans cet endroit avait de quoi surprendre. Ne trouvant sur le moment aucune explication plausible, elle décida d'emporter cette toile.

Marion et Bess rassemblèrent de nouveau les boîtes de conserve, épluchures et détritus de toutes sortes et les recouvrirent de cendres. Alice s'assura que tout était bien dans le même ordre qu'à leur arrivée et donna le signal du départ.

« Il est temps de rentrer », dit-elle.

Durant le trajet de retour, Alice parla peu. Quand elle fut arrivée au château, elle avait pris la décision de tenter une expérience. Après s'être baignée et habillée, elle partit en quête de tous les miroirs à main qu'elle put trouver.

Un peu plus tard, Fiona, Bess et Marion rejoignaient Alice dans le salon, où se tenait Lady Douglas. La jeune détective était penchée au-dessus d'une table. Au milieu de cette table, s'étalait le morceau de toile en question, des miroirs étaient disposés en cercle autour de lui.

« À quoi donc t'amuses-tu ? demanda Bess, interloquée.

— Il m'est venu une idée, répondit Alice. Ce tableau qui semble ne rien représenter a peut-être été tout bonnement peint suivant la technique du prince Charles — ce portrait que nous avons vu au musée d'Édimbourg. Vous en souvenez-vous ? »

Ses amies firent un signe d'assentiment et regardèrent dans les miroirs. Elles ne virent rien qui ressemblât de près ou de loin à un tableau. Lady Douglas examina, à son tour, la toile et ne vit rien non plus.

« Pourtant, je pense comme toi, Alice, que ces taches ont une signification.

— Peut-être ai-je mal disposé les miroirs, dit Alice. Auriez-vous, Grannie, un verre cylindrique dont je pourrais faire un miroir ? »

Lady Douglas ne put le lui assurer, mais elle l'autorisa à passer l'inspection de ses placards. Il se pouvait qu'elle y trouvât l'objet de ses désirs.

Aussitôt, Alice quitta la pièce, emportant la toile. Dans une armoire du premier étage, elle trouva ce qu'elle cherchait.

« Juste la taille qu'il me faut, se dit-elle. Au travail, maintenant ! »

Elle retourna auprès de son arrière-grand-mère et sollicita la permission d'enduire de pâte argentée l'intérieur du verre pour en faire un miroir.

John, le maître d'hôtel, ne pouvant malheureusement pas lui en fournir, Alice décida d'aller en acheter à Fort William.

Ses amies voulurent l'accompagner. Elles partirent en voiture. Alors qu'elles s'engageaient dans la rue principale de Fort William, Alice s'écria, très agitée :

« Regardez, n'est-ce pas l'inconnu à la barbiche noire qui est dans la voiture, devant nous ? »

Les regards de ses amies suivirent le sien.

« Évidemment, dit Marion avec un sourire mauvais, il a changé de voiture. Quoi de plus simple ! »

Alice fronça le sourcil. Cette fois, il n'allait pas lui échapper ! Elle prit note du numéro dans sa mémoire et appuya sur l'accélérateur.

L'homme conduisait vite. Alice enfonça la pédale. Pendant quelques minutes elle craignit de se faire siffler par un agent. Mais, bientôt, les deux voitures sortirent de l'agglomération et roulèrent dans la campagne. La chasse continuait.

Se sachant poursuivi, l'homme conduisait à tombeau ouvert. Alice le suivait à distance constante. Ils allaient en direction du sud, vers le loch Lomond.

« Il se rend peut-être à la mystérieuse maison flottante », suggéra Bess.

Le regard d'Alice se porta une seconde sur son tableau de bord.

« Horreur ! s'exclama-t-elle. Je suis à court d'essence et, si je m'arrête pour faire le plein, ce misérable va nous échapper ! »

Chapitre 18

Démasqué

À peine Alice venait-elle d'achever sa phrase que le moteur se mit à tousser. La voiture ralentit et s'arrêta. La jeune fille poussa un soupir d'agacement.

Marion haussa les épaules en signe de résignation devant la fatalité.

« À l'impossible nul n'est tenu ! En tout cas, voilà une panne que tu ne saurais imputer à tes ennemis inconnus. »

Sans répondre, Alice descendit de voiture et courut vers une maison qu'elle avait aperçue en bordure de la route. Une femme, à l'aspect avenant, lui ouvrit.

« Puis-je me servir de votre téléphone ? lui demanda Alice. Je voudrais appeler le commissariat le plus proche. »

La femme la dévisagea, surprise. Puis elle sourit :

« N'êtes-vous pas la jeune détective américaine dont j'ai vu la photo sur la couverture de *Photographie internationale* ?

— C'est la première fois que je me félicite d'être reconnue ! » répondit Alice.

L'aimable Écossaise la fit entrer et lui indiqua

l'appareil téléphonique, posé sur une table, dans le vestibule. Quelques secondes plus tard, Alice s'entretenait avec le commissaire le plus proche, à qui elle résuma l'affaire.

« Je crois être sur la piste d'un homme à barbe et favoris noirs appartenant à la bande de voleurs qui déciment vos troupeaux », conclut-elle.

Et, pour donner plus de poids à son récit, elle ajouta :

« Les inspecteurs Anderson et Buchanan me connaissent.

— Votre histoire est intéressante », déclara le commissaire, qui lui dit s'appeler MacNab.

Alice lui raconta comment le suspect lui avait échappé.

« Ne pourriez-vous pas tenter de l'appréhender ? Et si vous y parvenez, auriez-vous l'obligeance de le garder au commissariat jusqu'à ce que je puisse venir l'identifier ? »

M. MacNab y consentit volontiers. Elle lui communiqua le numéro d'immatriculation de la voiture que conduisait l'homme à la barbe noire.

« Venez donc tout de suite, lui dit alors le commissaire. J'aimerais avoir de plus amples détails sur tous les incidents dont vous m'avez parlé. »

Alice lui promit de se hâter. Elle demanda ensuite à son aimable hôtesse, qui lui dit s'appeler Mme Evans, comment elle pourrait se procurer de l'essence. Mme Evans téléphona elle-même à un garage.

En attendant l'arrivée de la voiture apportant un bidon plein, Mme Evans s'informa avec curiosité de l'homme à la barbe noire.

« Serait-il impliqué dans l'affaire qui vous préoccupe ? » demanda-t-elle.

Alice lui répondit avec autant de sincérité qu'elle estima pouvoir le faire sans entraver l'action de la police ni la sienne.

« J'habite chez mon arrière-grand-mère, près de Fort William. Comme vous le savez sans doute, un grand nombre de moutons ont été volés dans cette région. Il m'est arrivé de découvrir un indice qui m'a permis d'établir un lien entre cet homme et les voleurs. J'ai pensé que mieux valait en avertir la police. »

Cette explication parut satisfaire Mme Evans, qui dirigea la conversation sur l'arrière-grand-mère d'Alice.

« J'ai appris par les journaux que vous vous rendiez en visite chez Lady Douglas ? C'est bien cela ?

— Oui, dit Alice en riant. Et je vais aussi vous apprendre quelque chose : c'est une de mes amies qui, à mon insu, a présenté ma photo à l'occasion d'un concours. Elle a gagné ainsi un voyage pour deux personnes : ce sont les deux jeunes filles qui m'attendent dans la voiture et doivent s'impatienter. Il est grand temps que je retourne auprès d'elles, les pauvres ! »

Ouvrant son porte-monnaie, elle ajouta :

« Combien vous dois-je, madame, pour les deux communications téléphoniques »

Mme Evans la regarda, surprise.

« Voyons, mademoiselle, vous n'imaginez quand même pas que je vais accepter quoi que ce soit. Je suis ravie d'avoir fait votre connaissance, et le service que j'ai pu vous rendre est si infime que mieux vaut n'en pas parler. La vie comporte de bien singuliers hasards. C'est une panne d'essence qui vous a conduite à moi ! Quel honneur ! »

Et elle ponctua ses paroles d'un rire joyeux. Elle tint à accompagner Alice jusqu'à la voiture. Un employé du garage, alerté par Mme Evans, versait justement le contenu d'un jerricane dans le réservoir. Après avoir pris congé de l'aimable Écossaise, la jeune fille s'assit au volant et démarra.

Voyant qu'Alice ne se dirigeait pas vers le château Douglas, Marion lui demanda où elle allait.

« Au commissariat », répondit la jeune fille.

Quand les quatre amies pénétrèrent dans les locaux de la police, elles faillirent donner libre cours à leur joie. Le gibier qu'elles pourchassaient avait été pris. Debout, devant le bureau du commissaire, il proclamait son innocence :

« Qu'est-ce que cela signifie ? Je suis un honnête citoyen américain. Aussi vrai que je m'appelle Sandy Duff, il vous en cuira de me traiter de la sorte. »

Bess, Marion et Fiona s'assirent sur un banc au fond de la pièce, tandis qu'Alice s'avançait. Lui adressant un regard par-dessus la tête du prisonnier, M. MacNab demanda :

« Vous êtes Mlle Roy ? »

À ces mots, Sandy Duff se retourna et fit face à la jeune fille. Son visage blêmit.

« Je vois que vous connaissez Mlle Roy, dit le commissaire.

— C'est la première fois de ma vie que je la rencontre ! » cria-t-il, furieux.

À ce moment, un sergent entra dans la pièce. Marion se précipita vers lui et lui dit à voix basse :

« Je parie que cet homme porte une barbe et des favoris postiches. »

Le sergent sourit d'un air entendu et, sans répondre, s'approcha du commissaire à l'oreille de qui il chuchota quelques mots.

« Ah ! ah ! Nous allons nous en assurer tout de suite ! » dit M. MacNab.

Aussitôt, il ordonna au sergent de vérifier si le détenu portait ou non des postiches. Sandy Duff eut beau protester, le sergent exécuta l'ordre et, un instant plus tard, il brandissait une perruque noire, qui avait servi à masquer... des cheveux blonds ! Ensuite, il tira sur les favoris et la petite barbe en pointe — qui lui restèrent dans la main.

Alice n'en croyait pas ses yeux.

« Mais c'est Paul Petrie, de River City, la ville où je demeure ! » s'écria-t-elle.

Ses amies s'approchèrent aussitôt et se mirent à parler toutes ensemble. Le commissaire fut obligé d'imposer le silence.

« S'il vous plaît, mademoiselle Roy, veuillez nous raconter ce que vous savez. »

Alice reprit l'histoire par le début. Elle dit comment l'homme, qui — elle devait l'apprendre par la suite — s'appelait Paul Petrie, avait acheté à un petit garçon l'autographe qu'elle lui avait accordé.

« Ce jour-là, j'ai pu observer à loisir M. Petrie. C'est sans doute pourquoi, quand il m'a suivie à Édimbourg, j'avais l'impression de le connaître. Son déguisement, seul, m'a empêché de l'identifier. »

Elle expliqua ensuite qu'elle était venue en Écosse en partie dans l'espoir de retrouver un bijou disparu qui, supposait-elle, avait été dérobé par Paul Petrie ou un de ses associés.

« Sur quoi vous fondez-vous pour porter une semblable accusation ? protesta le prisonnier, non sans quelque raison.

— Sur le fait que vous avez communiqué à un journal de River City la nouvelle de l'existence et de la prétendue “disparition” de ce bijou, nouvelle connue seulement de Lady Douglas et de mon père.

— Sottises ! » cria le prisonnier.

Sans prêter attention à ses regards furibonds, Alice raconta comment elle avait eu connaissance des vols de moutons, et comment, grâce à un message chiffré, elle avait relevé les traces des voleurs dans une crique du loch Lomond, puis dans une cabane au flanc du Ben Nevis.

Paul Petrie devint livide.

« J'ignore de quoi vous parlez. Ce que vous débitez n'est qu'un tissu de mensonges. »

Dédaignant de lui répondre, Alice reprit :

« Une chose est certaine, monsieur le commissaire. M. Petrie ne peut nier être en possession de mon autographe, grâce à quoi la femme d'un membre de sa bande signe de mon nom tous ces chèques sans provision. Il se peut qu'elle me ressemble ou qu'elle se soit maquillée et coiffée dc telle manière que ses victimes se méprennent. »

Le commissaire darda sur le prisonnier un regard sévère.

« Qu'avez-vous à répondre à cela ?

— Rien ! Il n'y a pas un mot de vrai dans tout ce fatras d'inventions et j'exige qu'on me laisse aller. Je ne m'appelle pas Paul Petrie et s'il me plaît d'être brun au lieu d'être blond, c'est mon droit le plus strict. Nous ne vivons pas sous une dictature, que je sache ? »

Il eut beau dire, beau faire, comme il ne pouvait fournir aucune preuve de son identité, le commissaire décida que les apparences contre lui étaient telles qu'elles justifiaient sa détention dans les locaux de la police, en attendant un supplément d'enquête.

Quand le suspect eut été emmené, M. MacNab posa encore quelques questions à Alice.

« Bravo, mademoiselle, vous avez fait là de l'excellent travail », dit-il en conclusion.

Ces louanges firent rougir Alice.

« Me permettez-vous de me servir de votre téléphone, monsieur ? dit-elle. Je crains que ma grand-mère ne s'inquiète. Nous étions parties du château pour une demi-heure au plus.

— Je vous en prie, rassurez-la vite », répondit aimablement le commissaire.

Lady Douglas manifesta une si vive impatience de connaître tous les détails de l'aventure qu'Alice lui promit de rentrer tout de suite, Mais, comme elle s'apprêtait à repartir, un inspecteur vint dire quelques mots à l'oreille de M. MacNab. Celui-ci se tourna vers les jeunes filles.

« Voilà du nouveau. La vue de la cellule semble avoir fait réfléchir notre prisonnier. Il désire vous proposer un marché, mesdemoiselles.

— Lequel ?

— Je l'ignore. Venez avec moi, nous n'allons pas tarder à le savoir. »

En les voyant entrer, le visage crispé de Paul Petrie se détendit.

« Je ne suis pas coupable de ce dont vous m'accusez. Toutefois, je sais où se trouve actuellement le bijou que vous recherchez. Si vous me libérez, monsieur le commissaire, je vous dirai où il est. »

Stupéfaites, les jeunes filles se tournèrent vers M. MacNab à qui, somme toute, il appartenait de prendre la décision.

« Il ne saurait être question de vous libérer dans l'état actuel des choses, dit le commissaire avec fermeté. Cependant, si vous révélez ce qu'il est advenu de ce bijou, il vous en sera tenu compte. »

Paul Petrie haussa les épaules, résigné.

« C'est bon ! Mademoiselle Roy, le bijou est là-bas, au château, entre les mains de John. »

Chapitre 19

Le repaire de l'ennemi

« John ! fit Bess, éberluée. Ce n'est pas possible, il n'a pas pris le bijou d'Alice ! »

Paul Petrie ricana :

« Vous vous imaginez que ce maître d'hôtel si bien stylé est honnête ! Interrogez-le, vous déchanterez vite. »

Les jeunes filles n'en revenaient pas. Comment pouvait-on accuser ce vieux et digne serviteur ? Pourtant, malgré leur scepticisme, elles étaient bien obligées d'admettre qu'elles ne savaient pas grand-chose sur son compte.

« Mieux vaut rentrer au plus vite et tirer cette affaire au clair », dit Marion.

Ce fut aussi l'avis d'Alice. Les quatre amies quittèrent en hâte les locaux de la police et s'engouffrèrent dans leur voiture. Elles couvrirent en un temps record la distance qui les séparait de Fort William. Fiona bondit à terre, entra en coup de vent chez un droguiste, à qui elle acheta un tube de pâte argentée et un pinceau, puis, ensemble, elles prirent le chemin du retour.

À peine arrivées au château, elles se précipitèrent dans les appartements de Lady Douglas et lui racontèrent ce qu'elles venaient d'apprendre.

« C'est impossible ! s'écria la vieille dame, outrée. John est à mon service depuis des années et jamais il ne m'a donné la moindre raison de mettre en doute son honnêteté. »

Néanmoins, elle estimait de son devoir d'interroger son maître d'hôtel en présence d'Alice. Très loin de soupçonner ce qu'il allait entendre, John s'inclina devant Lady Douglas et lui demanda ce qu'elle désirait.

« Je ne sais comment vous exprimer ce que j'ai à vous dire et, pourtant, il faut que je vous parle, commença Lady Douglas, visiblement embarrassée. On vient de m'apprendre que le bijou que je réservais à Mlle Alice serait en votre possession. »

Le malheureux maître d'hôtel devint blême et se mit à trembler. Pendant quelques secondes, il demeura cloué sur place, incapable d'articuler un son. Alice éprouva une telle pitié pour lui qu'elle eut envie de lui venir en aide. Mais s'immiscer dans une affaire qui ne concernait que Lady Douglas eût été commettre une grave incorrection. Aussi garda-t-elle le silence.

À la longue, John finit par se ressaisir et ce fut avec une grande dignité qu'il répondit :

« Lady Douglas, je ne me suis pas emparé de la broche et j'ignore absolument ce qu'elle est devenue. Ma conviction profonde est que celui qui m'a accusé cherche à se couvrir lui-même. »

Lady Douglas sourit à son fidèle serviteur.

« C'est la réponse que j'attendais de vous. Je veux que vous sachiez que jamais je ne vous ai soupçonné une seconde. »

Alice raconta alors à John que la police avait arrêté un Américain qui, selon elle, avait partie liée avec les voleurs de moutons.

« Je suis persuadée, quant à moi, dit-elle, que, lorsque la police aura obtenu les aveux de cet homme et de ses complices, nous saurons où est ce bijou. »

Et, désireuse de montrer au maître d'hôtel toute la confiance qu'elle lui gardait, Alice le pria de l'aider à transformer le verre cylindrique en miroir. D'abord surpris, John manifesta un vif désir de participer à ce travail dès qu'Alice lui en eut expliqué l'objet. En moins d'une demi-heure, la pâte était sèche et le miroir cylindrique prêt à servir.

Lady Douglas, John, Fiona et les deux cousines regardèrent avec intérêt Alice placer le verre la tête en bas, au centre de la toile maculée de taches de toutes les couleurs. Cette fois, Alice put discerner une tour en pierre.

« Avez-vous une idée de quelle tour il s'agit ? » demanda-t-elle à sa grand-mère.

Après avoir regardé dans le miroir circulaire, Lady Douglas et John furent d'avis que ce devait être une tour érigée à une faible distance du domaine ; elle n'était plus entourée que de ruines.

« C'est un endroit très isolé, précisa John. Voulez-vous que je vous y conduise ?

— Oh ! oui ! merci, répondit Alice avec enthousiasme. Étant donné que nous avons trouvé cette toile auprès d'une cabane qui servait de repaire à un des voleurs de moutons, j'ai la ferme conviction que cela se rapporte à leurs activités, et peut même nous mener à un autre de leurs repaires. »

Les jeunes filles établirent donc des plans en vue d'une nouvelle équipée, le lendemain de bonne heure.

Lady Douglas leur apprit que l'on appelait ces ruines « les Ruches », à cause de leur forme.

Le lendemain matin, sitôt le petit déjeuner terminé, les quatre jeunes filles et leur guide se mirent en route. John fit prendre à Alice un petit chemin de terre, peu fréquenté, et vingt minutes plus tard, les visiteurs apercevaient la tour.

« Elle a en effet une forme de ruche, remarqua Bess, à part le sommet... qui manque. »

Alice arrêta la voiture, et John guida les jeunes filles, à travers une prairie, jusqu'aux ruines. Cette singulière construction ne comportait pas de fenêtres. Elle se composait de pierres de tailles différentes et mesurait près de dix mètres de haut.

« Autrefois, dit John, elle était encore plus haute, affirme-t-on, et tout à fait ronde. Seule la partie inférieure subsiste. »

Il les fit entrer par une porte étroite, la seule de tout l'édifice. Le passage avait à peine deux pieds de large et s'enfonçait dans le mur épais de dix pieds.

« Quelle surprenante architecture ! » dit Alice en contemplant l'ouvrage circulaire, qui allait en s'évasant vers le haut.

À intervalles irréguliers, on voyait des ouvertures oblongues avec des dalles de pierre entrecroisées comme des lames de parquet.

« À quoi servaient ces petites chambres ? » demanda Bess.

John répondit que, selon certains historiens, lors des invasions ennemies, un village entier se réfugiait dans cette tour ; on murait l'entrée et on s'y terrait jusqu'à ce que tout danger fût écarté.

« Il est probable qu'une famille entière s'entassait dans une de ces pièces, continua John. Jadis un escalier circulaire à galerie desservait chaque étage, permettant aux habitants de la tour de monter et de descendre. Au centre, un âtre immense permettait de faire la cuisine. Maintenant, suivez-moi, mesdemoiselles, je vais vous montrer autre chose. »

Il fit contourner aux jeunes filles un mur bas, encore debout, et, de la main, leur désigna une entrée conduisant à un soubassement.

« Il y avait là un puits qui leur fournissait l'eau nécessaire.

— Mais si la "ruche" était entièrement fermée, comment ces malheureux pouvaient-ils renouveler l'air ? » demanda Marion.

John répondit que les historiens ainsi que les archéologues pensaient que le sommet de la tour n'était pas hermétiquement clos ; il aurait été recouvert d'un toit muni de claires-voies laissant passer l'air. La pièce du haut aurait servi de salle commune.

« Très bien conçu ! fit Bess, mais je préfère un bon hôtel moderne. »

Cette remarque fut accueillie par des éclats de rire. Alice reprit vite son sérieux, car elle ne cessait de songer au mystère qu'elle s'était juré d'élucider. Hélas ! pas le moindre indice qui pût la mettre sur la voie. Ses amies l'aidèrent de leur mieux dans ses recherches. Enfin, elle renonça.

« Rien ne permet de croire que quelqu'un se soit servi de la tour comme d'un repaire », dit-elle.

Se tournant vers John, Fiona lui demanda :

« N'y aurait-il pas la ruine d'une autre tour-ruche, plus loin ? »

Sur sa réponse affirmative, Alice voulut s'y rendre aussitôt. Quelques minutes plus tard, le groupe atteignait une nouvelle « ruche ». Soudain, la voix animée d'Alice retentit :

« Des brins de laine ! Un morceau de peau de mouton !

— Ce qui voudrait dire que nos voleurs utilisent ou ont utilisé cet endroit, dit Fiona.

— Oui ! Et aussi qu'ils ne prennent pas les moutons pour la viande, mais pour la laine et les peaux.

— Pouah ! fit Bess avec une mine dégoûtée. Selon toi, cette ruine ne serait qu'un vaste cimetière de moutons ? »

Alice ne répondit pas. Elle venait de s'apercevoir que John s'était éloigné de son côté, sans doute dans le dessein de se livrer à quelque enquête personnelle. En effet, dix minutes plus tard, le digne maître d'hôtel revenait, annonçant qu'il avait creusé un peu la terre à l'aide d'un silex pointu.

« Il s'agit bien d'un cimetière de moutons », dit-il.

Ensemble, John et les quatre jeunes filles rétablirent les diverses phases de l'opération. D'une manière ou d'une autre — peu importait laquelle —, les voleurs attiraient les moutons errants dans un vallon isolé, loin des chemins fréquentés par les bergers. Là, ils les endormaient et les transportaient en camion jusqu'à ce vallon où Fiona les avait aperçus. Ils les tuaient, les dépouillaient, les dépeçaient, embarquaient les quartiers de viande, les peaux, et enterraient le reste de façon à ne laisser aucune trace.

« Retournons au château tout de suite, dit Alice. Il faut téléphoner au commissaire sans tarder. »

Le petit groupe se hâta de regagner le château. Alice se mit aussitôt en devoir de téléphoner. Le commissaire écouta son récit avec la plus grande attention.

« J'envoie sur-le-champ des hommes à la vieille

tour, car je voudrais prendre les voleurs sur le fait, dit-il en manière de conclusion. Dès qu'il y aura du nouveau, je vous avertirai. »

Le lendemain, qui était un dimanche, les jeunes filles se rendirent à l'église, puis elles attendirent impatiemment des nouvelles. Ce fut le lundi seulement que le commissaire leur téléphona pour les informer qu'aucun suspect n'était venu dans les parages de la « ruche ».

« Mais, à Dumbarton, sur la Clyde, mes inspecteurs ont surpris des hommes qui embarquaient en fraude des ballots de laine et des peaux, à bord d'un paquebot à destination des États-Unis. »

Quand elle eut raccroché, Alice revint auprès de ses amies.

« Dumbarton est au sud de la crique où était amarré le fameux ponton *Le Pirate.* Je parierais que c'est là que se rendait Paul Petrie le jour où nous lui avons donné la chasse.

— Mais si Rey et ses complices n'ont pas été appréhendés, où diable se cachent-ils ? » dit Marion.

Alice leva les sourcils.

« Ils ne sont ni dans la cabane, ni dans *Le Pirate,* ni dans la tour... j'imagine qu'ils se terrent quelque part dans l'attente d'un signal quelconque.

— De qui ?

— De Paul Petrie. »

Cette assurance surprit Fiona et les deux cousines. Pourtant le raisonnement d'Alice ne manquait pas de logique. Bess et Marion se rappelèrent les airs de cornemuse qui sortaient de la chambre de Rey, là-bas, à Glasgow.

« Après tout, c'était peut-être Paul Petrie qui s'exerçait, dit Marion. Il y a eu aussi ce cornemuseux qui sifflait le même air sur une crête du Ben Nevis.

— J'ai une idée, fit soudain Alice. Grannie, elle va vous paraître osée, mais j'espère que vous n'y verrez pas d'objection. J'aimerais vêtir le costume écossais aux couleurs des Cameron, grimper jusqu'à l'endroit où j'ai vu le cornemuseux et jouer *Scots, wha hae.*

— Tu sais jouer de la cornemuse ? » fit Lady Douglas, surprise.

Alice avoua qu'elle était tout juste capable de moduler quelques notes — celles, comme par hasard, que répétait inlassablement le mystérieux joueur. Elle se servirait toutefois de l'instrument complet pour parfaire son imitation. Elle parla ensuite du sifflement produit à l'aide du tuyau mélodique, qui servait sans doute de second signal — d'alerte, celui-ci — aux voleurs.

« Auriez-vous un tuyau mélodique capable de reproduire ce sifflement ?

— Décidément, la chance te sert, ma chérie, dit Lady Douglas. John a travaillé quelque temps dans une fabrique de cornemuses et il possède plusieurs cornemuses — encore qu'il ne sache pas en jouer. Je vais le prier de te les apporter et tu pourras choisir. »

John répondit aussitôt à l'appel de la sonnette. La requête de Lady Douglas le déconcerta visiblement. Toutefois, il se déclara prêt à y déférer. Il invita les jeunes filles à le suivre dans l'atelier où il gardait ses cornemuses.

« Elles sont toutes en parfait état », déclara-t-il non sans fierté.

Et il pria Alice de les essayer.

Elle en choisit une qui n'était pas trop lourde à porter et, après avoir répété plusieurs fois la première phrase de *Scots, wha hae,* elle parvint à la jouer aussi bien qu'une professionnelle.

« Pourriez-vous me tailler un roseau qui sifflerait et l'introduire dans le tuyau mélodique ?

— Oui. Si vous m'accordez une heure, rien de plus facile. »

Alice lui dit de ne pas trop se presser : elle ne s'en servirait qu'à la nuit tombée qui, en cette saison, était tardive.

Quand les quatre amies se retrouvèrent dans le salon de Lady Douglas, Bess se tourna vers Alice.

« À présent, expose-nous ton plan en détail. »

Alice eut un sourire amusé.

« L'idée m'est venue que nous pourrions aller toutes les quatre camper sur le Ben Nevis. Quand le soleil sera près de se coucher, nous gravirons la pente jusqu'à l'emplacement où j'ai vu apparaître le joueur de cornemuse, et je donnerai les deux signaux. Si nos voleurs se trouvent dans les parages — ce que je pense —, ces signaux devront déclencher quelque chose.

— Ton idée me paraît excellente, dit Bess, mais il serait sage de nous faire accompagner par des inspecteurs de la police. »

Telle fut l'opinion de Lady Douglas, qui téléphona elle-même au commissaire. Celui-ci promit d'envoyer deux de ses hommes au début de la soirée.

Fidèle à sa promesse, John apporta, à l'heure dite, un tuyau mélodique muni du nouveau roseau. Alice le remercia et s'exerça jusqu'à ce qu'elle eût obtenu un sifflement parfait.

Ce furent les inspecteurs Anderson et Buchanan qui se présentèrent au château. Tous deux portaient des jumelles en bandoulière.

Morag avait préparé un souper froid dans un panier. Les jeunes filles et les inspecteurs partirent dans deux voitures. Arrivés sur le terrain, ils s'installèrent et déballèrent les paquets ; une fois rassasiés, ils discutèrent de la tactique à suivre. Quand la pénombre envahit les sommets, ils entreprirent l'escalade du Ben Nevis.

L'inspecteur Anderson portait la cornemuse d'Alice et poursuivait à voix basse une conversation animée avec elle.

À mi-chemin du but, Alice, qui s'était éloignée de ses compagnons, entendit sur sa gauche un bruit étouffé. Elle courut dans la direction d'où il venait et vit, au creux d'un fourré, un agneau qui bêlait lamentablement. Alice se pencha pour le caresser.

Tout à coup, elle eut conscience d'une présence derrière elle. Se retournant, elle vit, en équilibre sur une branche, prêt à bondir, un énorme chat sauvage !

Chapitre 20

Un bain imprévu

Un instant, Alice fut prise de panique. La bête allait-elle attaquer ?

Elle se rappela avoir entendu dire que, pour faire fuir ce genre d'animal, il fallait crier et lui jeter des pierres. Elle n'ignorait pas qu'en agissant ainsi, elle risquait de donner l'alerte aux voleurs de moutons.

Ce risque, elle était obligée de l'assumer.

De toutes ses forces, elle hurla :

« Va-t'en, sale bête ! »

Sans quitter l'animal du regard, elle ramassa à tâtons une grosse pierre et la lui lança.

Le chat sauvage sauta à bas de la branche pour éviter le projectile, mais il n'attaqua pas. Sans doute effrayé, il s'enfuit !

Les jambes flageolantes, Alice s'assit à côté de l'agneau qu'elle serra contre elle.

Accourus au bruit, Bess, Marion et les deux inspecteurs voulurent en savoir la cause. Elle leur raconta ce qui lui était arrivé et exprima sa crainte que l'incident n'ait donné l'éveil aux voleurs.

« L'essentiel est que vous n'ayez pas été blessée », dit Anderson.

Réconfortée, Alice se leva.

« Allons ! » dit-elle.

La crête fut bientôt atteinte. L'inspecteur Anderson tendit la cornemuse à Alice. Perchée seule sur un promontoire, elle joua la première phrase de *Scots, wha hae.*

Pendant ce temps, cachés un peu en retrait, les deux inspecteurs promenaient leurs jumelles sur le paysage. Dans le lointain, au creux d'un petit vallon, un troupeau de moutons paissait. Quatre bergers les surveillaient.

Buchanan tendit ses jumelles à Bess en lui demandant si elle pouvait identifier l'un ou l'autre de ces hommes. Elle regarda attentivement, puis, au comble de l'agitation, elle dit :

« Mais l'un d'eux n'est autre que Rey. »

Au même moment, l'inspecteur Anderson repérait un grand camion bâché, dissimulé tant bien que mal derrière des arbres, au bord d'une route secondaire.

« Mon collègue et moi, nous allons faire un tour par là-bas, et voir ce qui s'y passe. Vous, mesdemoiselles, attendez-nous ici. Dans une vingtaine de minutes, mademoiselle Roy, veuillez, à l'aide de votre cornemuse, émettre le sifflement convenu.

— Pourriez-vous nous prêter vos jumelles ? demanda Marion. Comme cela, nous pourrons suivre la manœuvre. »

M. Anderson se mit à rire.

« Requête accordée ! Votre curiosité n'est que trop naturelle. »

Les deux inspecteurs dévalèrent le flanc de la montagne. Alice changea le tuyau mélodique et tint le regard fixé sur son bracelet-montre, tandis que Marion réglait les jumelles sur le troupeau de moutons.

« Le moment est venu », dit enfin Alice.

Et portant l'anche à ses lèvres, elle produisit le sifflement qu'elle avait entendu plusieurs fois auparavant.

Dans le silence qui suivit, Marion se mit à décrire au fur et à mesure ce qu'elle voyait :

« Les quatre hommes ont des fusils avec lesquels ils visent les moutons, ils leur lancent sûrement des gaz. »

Alice, Bess et Fiona distinguaient la scène qui se déroulait au-dessous d'elles. Elles retinrent un cri horrifié en voyant les bêtes s'affaisser dans l'herbe. Les hommes traînèrent l'un après l'autre les corps inertes jusqu'au camion et les y entassèrent.

Quand le camion fut plein, les voleurs montèrent dans la cabine, mirent le moteur en route et s'éloignèrent à bonne allure.

Les jeunes filles demeurèrent bouche bée. Enfin Bess donna libre cours à son indignation.

« Pourquoi les inspecteurs ne les ont-ils pas arrêtés ?

— Ils veulent peut-être les suivre pour recueillir d'autres preuves contre eux. Retournons chez Grannie, le commissaire va sûrement téléphoner. »

Lady Douglas fut vivement soulagée de les revoir.

« Mes félicitations, ma chérie, dit-elle à Alice. Ta ruse a réussi.

— Ne nous réjouissons pas trop tôt, répondit Alice. Ils ne sont pas encore entre les mains de la police. »

L'heure de se coucher était passée depuis longtemps, aussi Lady Douglas et les jeunes filles se retirèrent presque aussitôt dans leurs chambres.

Alice ne put dormir. Elle ne cessait de se demander ce que faisaient Anderson et Buchanan.

Le lendemain matin, de bonne heure, le commissaire téléphona. Il apprit à Alice que les voleurs avaient été arrêtés et étaient passés aux aveux. Ils faisaient partie d'une bande de malfaiteurs spécialisés dans la contrebande. M. MacNab termina son récit en priant Alice et ses amies de venir dès que possible au commissariat.

C'est là qu'une heure plus tard, Anderson et Buchanan leur racontèrent qu'ils avaient suivi le camion et, à l'aide d'un appareil à rayons infrarouges, pris de nombreux clichés qui constituaient contre les voleurs autant de preuves irréfutables.

Rey, interrogé, entra dans une rage folle. Sa colère était dirigée en partie contre le réceptionniste de l'hôtel de Glasgow, coupable d'avoir commis une grossière erreur, en partie contre cet « idiot » de Paul Petrie qui avait eu l'idée farfelue de traduire les instructions en gaélique dans l'espoir d'impressionner son chef. Sans leur stupidité à tous deux, jamais Paul Petrie ni lui-même n'auraient été appréhendés. C'était Paul Petrie, dit-il, qui avait glissé le message dans la chambre au nom de Rey et *non pas de Roy.*

« Quant à vous, mademoiselle Roy, gronda-t-il au comble de la fureur, s'il avait été plus malin, vous ne seriez pas venue nous importuner jusqu'ici. Il a tout gâché par ses maladresses. »

Alice apprit que c'était également Petrie qui avait précipité un vieux camion contre sa voiture, déposé la lettre de menaces accompagnée du carré de tissu écossais, placé la bombe dans la boîte aux lettres et téléphoné à Ned. Non content de ces méfaits, il avait tenté de renverser la voiture d'Alice dans un fossé sur la route du loch Lomond. À tout prix il voulait l'empêcher de poursuivre son enquête.

À ce moment, Petrie fit son entrée dans le bureau du commissaire. Deux inspecteurs l'encadraient. À la vue d'Alice, ses yeux lancèrent des éclairs. Sommé par le commissaire de s'expliquer, il le fit d'abondance :

« Cette demoiselle touche-à-tout est décidément très forte. Oui, c'est moi qui ai parlé d'elle à *L'Écho du soir.* J'espérais ainsi détourner les soupçons de moi et de Rey. Ce jour-là, j'ai manqué une belle occasion de me taire. Bah ! j'ai quand même été plus malin qu'elle à Édimbourg ; je lui ai drôlement faussé compagnie, à cette prétentieuse mijaurée ! Elle ne se doutait pas que j'avais sur moi un laissez-passer — volé, bien entendu — qui m'a permis de pénétrer dans le palais de justice. Depuis le temps que je travaille en Écosse, j'en connais des trucs pour me tirer des pas difficiles ! Je suis moins bête qu'on ne pense ! »

Il raconta ensuite, non sans une certaine fierté, que c'était lui qui se chargeait d'embarquer en fraude la laine et les peaux. D'ailleurs, à quoi bon nier sa participation à ces hauts faits, puisque les inspecteurs avaient recueilli les aveux de deux marins complices ?

« En apprenant que vous comptiez vous rendre en Écosse, continua-t-il en s'adressant à Alice, je me suis dit que mieux valait vous y précéder afin de surveiller vos faits et gestes. J'ai laissé un mot à Rey, dans la chambre qu'il avait retenue. Par ce message, je l'avertissais de ma présence à Glasgow. C'est moi qui ai eu l'idée d'employer la cornemuse pour communiquer entre nous dans les montagnes : elle porte très loin et n'aurait pas dû attirer l'attention. Sans doute m'avez-vous entendu m'exercer et c'est cela qui vous a mis la puce à l'oreille.

— Nous avons compris presque entièrement votre message, coupa Alice. Toutefois, pourriez-vous me le dire en clair ? »

Petrie lui répondit, sans se faire prier, qu'il s'agissait des instructions auxquelles le camion aurait à se conformer : suivre un fossé profond, fermer avec la barre de sûreté l'arrière du camion transportant les moutons au lieu de se contenter de remonter l'abattant ; transporter la laine et les peaux de moutons au ponton et attendre l'ordre d'emporter le butin à Dumbarton.

« J'avais correctement interprété les divers croquis — à l'exception d'un seul. Que signifie le berceau ? » demanda Alice.

Les prisonniers échangèrent des regards inquiets, mais ne répondirent pas.

« Lequel de vous deux a une femme qui me ressemble ? » demanda-t-elle à brûle-pourpoint.

Cette fois, la stupeur parut les clouer sur place. Finalement, Petrie haussa les épaules, résigné.

« J'ai amené ma femme avec moi ; avec l'aide d'un coiffeur et d'une maquilleuse, elle peut passer pour vous. Un jour, en visitant un vieux château, elle a été séduite par un berceau en forme de nacelle. Aussi en a-t-elle voulu un semblable quand notre fils est né. En voyant le croquis, Rey a tout de suite compris qu'elle était en Écosse, prête à nous seconder dans nos entreprises.

— C'est donc elle qui signe de mon nom les chèques sans provision. Est-ce à elle également que vous avez téléphoné du drugstore, à River City, pour l'avertir que vous étiez en possession d'un de mes autographes ? »

Petrie fit « oui » de la tête. Toute sa faconde semblait l'avoir abandonné. À une autre demande d'Alice, il répondit que « sans-estampille » signifiait que sa femme ne portait pas au bras le tatouage qui permettait aux divers membres de la bande de se reconnaître entre eux.

Le commissaire félicita chaleureusement Alice et ses amies, puis il voulut savoir si elles avaient d'autres questions à poser aux prisonniers.

« Oui, dit Alice. J'ai la ferme conviction que ces deux hommes savent où se trouve un bijou de prix qui a disparu de chez Lady Douglas, mon arrière-grand-mère. »

Après bien des réticences, Rey consentit à répondre.

« La femme de chambre de la vieille dame avait raconté à une amie que sa patronne voulait offrir une splendide broche à Mlle Roy. Cette amie m'en a parlé et je n'ai pas voulu laisser échapper une aussi belle occasion.

— Où est la broche ? demanda Alice.

— Au fond de l'étang du château ! »

Telle fut la surprenante réponse.

« Que dites-vous ! firent ensemble Alice et le commissaire.

— Eh bien, oui ! Un jour, je me suis introduit dans le parc avec l'intention de reconnaître les lieux. Un chien s'est présenté sur moi en aboyant. J'avais dans ma poche un revolver à gaz ; j'ai un peu trop aspergé le cabot et il est mort. »

Rey avait alors vu Lady Douglas sortir, ayant à son corsage une broche étincelante. Tandis que, sous le couvert des arbres, il réfléchissait à la manière de s'en emparer, la broche avait glissé à terre.

« J'ai attendu que la vieille dame rentre au château et j'ai ramassé la broche, tout étonné de ma chance. À ce moment, une voix d'homme m'a fait sursauter, et je me suis mis à courir... si vite que j'ai buté contre une pierre et suis tombé. Dans ma chute, la broche m'a échappé des mains et est tombée dans l'étang. La nuit suivante, j'ai voulu la rechercher, mais alors deux serviteurs arpentaient le parc. J'ai dû renoncer à mon projet, ne voulant pas compromettre le succès de nos autres entreprises. Petrie et moi avions décidé d'attendre le départ de ces demoiselles pour renouveler la tentative. »

Cette nouvelle électrisa les quatre amies, qui s'empressèrent de quitter le commissariat et de rentrer à Douglas. À la vue du visage animé de son arrière-petite-fille, Lady Douglas s'informa de ce qui se passait. En entendant la réponse, une vive agitation s'empara d'elle, et aussitôt que les jeunes filles eurent revêtu des maillots de bain, elle les escorta avec Morag et John jusqu'à l'étang.

Les jeunes sportives plongèrent, nagèrent sous l'eau, refirent surface à maintes reprises. Enfin, Alice crut distinguer, sur le lit de vase, un objet brillant. Elle le prit.

C'était la broche d'émeraude et de diamants.

Triomphalement, elle remonta en la tenant au-dessus de sa tête.

« Tu l'as trouvée ! s'écria Lady Douglas, ravie. Oh ! ma chérie, tu l'as bien méritée !

— Grannie, vous me comblez ! Un bijou pareil ! »

Alice ne voulut pas gâcher la joie de son arrière-grand-mère en lui apprenant l'indiscrétion dont sa fidèle servante s'était rendue coupable.

En revenant au château, elle apprit que son père arrivait le soir même. Quel plaisir de lui raconter l'heureux dénouement de cette aventure !

Tandis que les quatre jeunes filles se reposaient en attendant le dîner qui célébrerait leur réussite, Alice dit soudain à Bess :

« Tu sais, j'ai un aveu à te faire. Quand tu m'as parlé de ce concours gagné avec ma photographie, j'ai été furieuse contre toi. Une publicité pareille me semblait inopportune. Mais, somme toute, ton idée a été excellente.

— Vraiment ?

— Oui ! C'est grâce à elle que j'ai résolu cette double énigme. »

Table

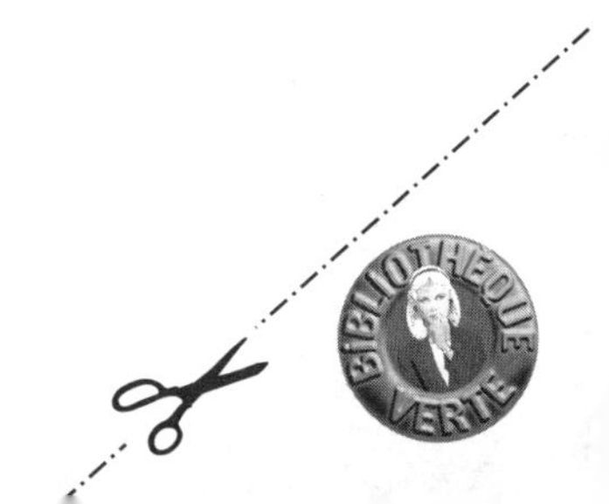

Composition ***JOUVE*** — 53100 Mayenne

Imprimé en France par ***Partenaires-Livres***®
n° dépôt légal : 25145 - août 2002
20.07.0635.02/1 ISBN : 2.01.200624.8

Loi n° 49-956 du 16 juillet 1949
sur les publications destinées à la jeunesse